新たな時代の〈日韓連帯〉市民運動

玄 武岩・金 敬黙 編著

寿郎社ブックレット 4

本書は、二〇二〇年一〇月二一日、一二月二日に行われた「日韓連帯フォーラム」のオンラインでの座談会「日韓連帯を研ぎ澄まして」の内容をもとに制作したものです。

「日韓連帯フォーラム」は韓国国際交流財団の支援を受けています。

はじめに――なぜ今「日韓連帯」なのか

二〇一八年一〇月三〇日、元「徴用工」が新日鉄住金（旧新日本製鉄、現日本製鉄）に損害賠償を求めた訴訟で、最高裁の韓国大法院は同社の上告を退けました。これにより、同社に請求全額の支払いを命じたソウル高裁の差し戻し控訴審が確定しました。

また、二〇二一年一月八日、ソウル中央地裁は元日本軍「慰安婦」が日本政府に損害賠償を求めた訴訟で、賠償命令を下しました。他国の主権行為は裁けないとする「主権免除」の原則が適用されなかったことになります。

これらの判決が日韓関係にもたらした波紋は、いわゆる「六五年体制」の限界を指し示しています。長期的には歴史問題が日韓関係の争点となる一九九〇年代以降、短期的には韓国大法院判決が日韓関係を大きく揺るがす二〇一八年以降の危機的状況の根底には、「六五年体制」のもとでなされた被害者を顧みない「戦後処理」の問題があるのです。

しかし、だからといって「六五年体制」を破棄するだけでは、日韓関係は経済報復合戦による破局を免れません。そもそも戦後の日韓関係が「六五年体制」に全面的に依存してきたわけではないことに、まずは注目する必要があるでしょう。その中でも、韓国の民主化運動や歴史問題の真相究明・戦後補償裁判を支えてきた日本の市民運動は日韓関係の重要な一面です。「六五年体制」を克服する新たな枠組みを生み出すためには、こうした市民運動による「日韓連帯」の共同体験を掘り起こし、見つめ直すことが欠かせないのではないでしょうか。

なお、「日韓連帯」は、一九七〇年代から八〇年代にかけて、主に韓国の民主化運動を支援する日本の市民勢力によって提起されたものです。その後、韓国政治が民主体制へと移行してからは、「日韓連帯」は過去のものと認識されるようになりました。結局、当時の「日韓連帯」は韓国の民主化をターゲットにした概念でしかなかったのです。

しかし、一九九〇年代以降に浮上した歴史問題や、新自由主義的勢力の拡大によるグローバルな社会・経済の歪みに対処するためにも、日韓の市民社会の「連帯」は、双方向的・相互作用的な形でいまこそ必要とされています。一九七四年に歴史学者の和田春樹(わだはるき)が先見的に提唱した「日本人と朝鮮半島の人々との間の歴史をすべての面で問い直し、根底から作り直すための連帯」(和田春樹「韓国の民衆をみつめること――歴史のなかからの反省」『展望』一九七四年一二月)が体現されるのは、むしろ戦後補償運動が活発になる一九九〇年代以降だからです。元「徴用工」や日本軍「慰安婦」、韓国人被爆者やサハリン韓国・朝鮮人、元朝鮮人BC級戦犯や軍人・軍属など、朝鮮半島出身の戦争被害者が日本で起こした戦後補償裁判には、日本の市民団体の支援が不可欠でした。さらに、韓国の民主主義の定着、在日コリアンの人権の擁護、そして近年のアンチ・レイシズムの活動にまでその範囲を広げれば、「日韓連帯」の経験は枚挙にいとまがありません。

ところが、こうした数々の「日韓連帯」の経験は、日韓関係の中で正当に評価されていないのが現状です。もちろん、日本の市民団体は「旧植民地宗主国の市民として当然のことをしたまでだ」「評価されることを求めていない」と思うことでしょう。

しかし「日韓連帯」は、言葉の意味からしても、その歴史からしても、一方的に支援し、支援される関係ではありません。戦後補償裁判を日本の市民社会が支え、それが「戦後日本の戦争責任論」にも変容を促したように、「日韓連帯」とは、日本と韓国の市民社会が相互作用を通して自己革新を重ね、植民地主義を越えていくための共同作業なのです。

このような問題意識のもと、日韓関係に携わる研究者・活動家たちが、北海道を拠点に「日韓連帯フォーラム」を立ち上げました。「日韓連帯フォーラム」は、「日韓連帯」をバージョンアップして現在の日韓関係の中に位置付け直すことで、国家間関係が揺さぶられても市民社会がそれを支え、また国家権力の暴走時には連帯して抵抗していくビジョンを見出すことを目指しています。

北海道は、植民地朝鮮から多くの労働者が強制動員された地域であり、犠牲となった人々の遺骨発掘が二〇年以上にわたって行われてきた「日韓連帯」の現場です。また、先住民族のアイヌの人々が暮らした地域であり、戦後、サハリンに残留を余儀なくされた日本人・朝鮮人の家族が多数「帰国」した地域でもあります。こうした地理的・歴史的・政治的背景を考えると、平和研究に基づく「日韓連帯」の声を発信し、混迷する日韓関係に新たなビジョンを提示するうえで、北海道は適した場所と言えるでしょう。

本書は、「日韓連帯フォーラム」の活動の一環として、二〇二〇年一〇月二一日と一一月二日の二日にわたりオンラインで開催した座談会「日韓連帯を研ぎ澄まして」の記録です。六名の研究者・ジャーナリスト・アーティスト・活動家が問題提起と活動報告を行い、「なぜ今、日韓連帯なのか」について議論しました。

この六名は、それぞれ研究領域も活動分野も異なりますが、ともに「日韓連帯」の経験がナショナリズムの「境界」をも越えていくことの可能性にかけています。本書では、「日韓連帯」を政治的・運動論的な視点に押しとどめるのではなく、社会的・経済的領域にまで広げることで、二一世紀の日韓関係にふさわしい概念として「日韓連帯」を再生し、現在的意味の中で再定義を試みています。

植民地朝鮮に生まれた作家の森崎和江(もりさきかずえ)は、「日本民衆にとって、朝鮮問題とは何なのか」を先鋭的に問い続けました(森崎和江『異族の原基』大和書房、一九七一年)。森崎が喝破したように、日韓の市民社会が国家権力を媒体にすることなく、直接的に「互いの本質をコミュニケートする」ことになれば、加害と被害に割り切れない戦争犠牲者の多面性と抵抗性をすくいあげることができます。そしてバージョンアップされた「日韓連帯」というトランスナショナルな公共圏ができれば、両国が政治権力に翻弄されない新たな関係性を見出す契機にもなるでしょう。

日韓連帯フォーラムを代表して

玄 武岩

新たな時代の〈日韓連帯〉市民運動　目次

第二部 現場からの報告

第三部　座談会

第一部　問題提起

一九七〇年代から八〇年代の「日韓連帯運動」から考える「連帯」のあり方

立教大学グローバル・リベラルアーツ・プログラム運営センター助教
李 美淑

「日韓連帯」の過去、現在、そして未来のあり方を検討する前に、まず問われるのは「日韓連帯」が何を意味するのかということです。このことに対する議論がなければ、「日韓」という用語から連想される「国民国家」の枠組みにとらわれ、「日韓連帯」が日韓関係をよくするためにあるものだと誤解される可能性があるでしょう。本稿では、日本の市民社会で「日韓連帯」が叫ばれた一九七〇年代から八〇年代の「日韓連帯運動」を一つの手がかりとして、今日そして未来に向けた「連帯」のあり方について考えてみたいと思います。

1.「日韓連帯運動」を振り返る

一九七〇年代から八〇年代の「日韓連帯運動」は、韓国の政治状況や民主化運動に触発される形で起きた、日本における韓国の民主化運動に対する支援や連帯の動きの総称です。初期は、「救援」や「救う」といった用語を使った「救援運動」として形成されました。たとえば、「徐(ソ)君兄弟を救う会」(一九七一年)、「詩人金芝河(キムジハ)救援委員会」(一九七二年)などを挙げることができます。それぞれ、「母国」を知るために留学した在日韓国人の兄弟、独裁政権のありようを風刺した詩人を「政治犯」とした独裁政権の暴挙に対し、彼らの釈放を目的として結成された組織です。

しかし、韓国の民主化運動が激化するにつれ、「救援」ではなく「連帯」を掲げるグループもさまざまな形で形成されていきました。韓国では、一九七三年に礼拝の場を用いて牧師などが主導した民主化運動（反維新運動）の「復活祭礼拝事件」（四月）、「韓国キリスト者宣言」（五月）、「ソウル大学文理大学学生デモ」（一〇月）、維新憲法に対する「改憲請願一〇〇万人署名運動」（一二月）、そして、一九七四年に「民青学連事件」（四月）などが立て続けに起きました。同じ頃、在日韓国人グループは、ＫＣＩＡによる「金大中拉致事件」（一九七三年）の際、「金大中先生救出対策委員会」を組織し、海外においても韓国の民主化運動を展開するため、「韓国民主回復統一促進国民会議」（以下、韓民統）を結成しました。こうした動きに応答するかのように、翌年、日本のキリスト者たちは「韓国問題キリスト者緊急会議」（以下、緊急会議）を、知識人や文化人らは「日本の対韓政策をただし、韓国の民主化運動に連帯する連絡会議」（以下、日韓連帯連絡会議）を結成し、「連帯」を掲げるようになっていきます。

「日韓連帯運動」は、「韓民統」などの在日韓国人グループ、「緊急会議」などのキリスト者グループ、「日韓連帯連絡会議」などの知識人グループ、在日韓国人「政治犯」救援運動グループ、反公害輸出運動グループ、キーセン観光反対運動の女性活動家グループ、民衆連帯の労働活動家グループ、民族差別撤廃運動のグループ、戦後補償運動グループなどが緩やかに連携しながら展開されました。そして、一九八〇年代に入ってからは、教科書問題抗議運動、指紋押捺拒否運動など、コロニアリズム脱却に向けた活動と議論を広げていきました。

一九八七年の韓国の民主化以後は、日韓の市民同士の交流が拡大し、日本の戦争責任や植民地支配責任に関する活動家たちの国境を超えるネットワークがより活発に形成されていきました。このネットワークでは、韓国では民主化運動世代が、日本では「日韓連帯運動」に関わったことのある世代が、それぞれ重要なアクターとなりました。植民地過去清算に対する意識を高める中、一九九〇年代には、河野談話、村山談話、そして、韓国の「日本文化開放」、日韓政府同士の「日韓パートナーシップ宣言」などがあり、それまでの「日韓癒着」と呼ばれた政権同士による日韓関係に対し、市民同士が築き上げる新たな日韓関係の可能性が示されました。

2.「連帯」の意味を問うた金芝河の言葉

「日韓連帯運動」は、一見すると、韓国の民主化運動に対する一方的な「支援」のように見えるかもしれません。しかし、「他者」の苦しみに手を伸ばす「支援」の感覚だけで、「日韓連帯運動」の諸様を説明することはできません。

「日韓連帯運動」をリードしてきた人々は、韓国の民主化運動が提起する問題を、ただ単に「他者」のものとみなしていたわけではありませんでした。日韓の政権間における「援助」や「政治資金」をめぐる不正腐敗のスキャンダル、「金大中拉致事件」をめぐる政治決着、日本企業の韓国進出のあり方(公害産業の輸出や労働環境の脆弱性の利用)、そしてキーセン観光に見える元宗主国日本の「継続する植民地主義」の現実などは、日本の民主主義のあり方そのものを問うものとして認識されました。在日韓国人「政治犯」救援運動でも、「政治犯」家族との信頼構築の過程で、日本の社会における在日朝鮮・韓国人に対する「差別・同化・排外」が問われました。これらのさまざまな問題は、日本または日本人と関係のない「他者」の問題ではなかったのです。

しかし、こうした認識が一九七〇年代初期から根付いていたわけではありませんでした。実は、「日韓連帯運動」には、「連帯」の意味を喚起させる重要なエピソードがあります。一九七二年、鶴見俊輔(つるみしゅんすけ)ら三人は、金芝河の釈放を要求する署名を韓国政府に伝えるため、訪韓しました。軟禁状態にあった金芝河とも会えることになり、そこで鶴見は、金芝河に「ここに、あなたを死刑にするなという趣旨で、世界中から集めた署名があります」と言いました。それに対し、金芝河は「Your movement cannot help me. But I will add my voice to help your movement（あなたたちの運動は、私を助けることはできない。しかし、私は、あなたたちの運動を助けるために声を加えよう）」と答え、鶴見を驚かせたそうです。この何気ないやり取りのなかには、「支援」や「同情」のアプローチに対する「拒絶」がありました。金芝河は、一九六四年の日韓会談反対闘争を主導した人で、日本でも知られた作品である「銅の李舜臣（イスンシン）」や「五賊」の中で、韓国の独裁政権や腐敗した支配階層を朝鮮末期の「五賊」に比喩・風刺しながら、日韓の継続する歴史的な関係性をも問うていました。しかし、こうした関係性には目を向けず、ただ「救うために来ました」というような姿勢に、金芝河は逆に「あなたたちの運動」を「私が助けましょう」と言ったのです。

金芝河の言葉は、日本の運動勢力のなかで、「安易な支援運動を拒絶する」「日本人自身を助け出す運動にするべき」と解釈されています。「日韓連帯連絡会議」の事務局長であった和田春樹（わだはるき）は、「日韓連帯の思想と展望」（『世界』一九七五年一一月号）で、金芝河の言葉を「私たちは、くりかえしくりかえし語ってきた」として、「他者への抑圧的なしくみの中にある自分自身の姿」を発見することが、「自分自身を救い出す」ことになると主張しました。そして、まさに「自分自身を救い出す」ために、日本が韓国に対して何をしているのかについても教えてくれる韓国の民主化闘争を学んでいく必要があると述べています。

このように、「日韓連帯運動」をリードしてきた人々にとって、韓国の民主化運動と「連帯」するということは、一方的な支援や同情ではなく、むしろそれを「拒絶」したうえで、日本の不正義や不条理な面を変革していくこと、そして、それによって日本と日本人を救い出していく、日本の民主主義のための運動であると訴えられてきました。もちろん、こうした訴えが大衆レベルまで浸透したかというと、そうとは言えません。しかし、「一方的な支援」という見方は、「日韓連帯運動」の「連帯」の意味合いを無化し、過去と現在を断絶させるものです。それは、過去の運動から継承することは何もないと言っていることと等しいかもしれません。

3.「日韓連帯運動」における情報交換のネットワーク

「日韓連帯運動」の背後には、国境を越えた情報交換のネットワークが働いていました。鶴見俊輔と金芝河のやり取りも、日韓の国境を越えて活動する個々人の連絡網を通じたつながりが可能にしたものでした。鶴見らの訪韓団は、カトリックのネットワークを通じて、韓国の民主化運動における代表的な人物の一人である池學淳(チハクスン)司教に会い、そこから馬山(マサン)の療養所で金芝河と会うことになったのです。訪韓団と池學淳司教との間には、在日韓国人でカトリック者の宋栄淳(ソンヨンスン)がいました。彼は、金壽煥(キムスファン)枢機卿の姪の夫で、カトリックの情報交換のネットワークにおいてキー・パーソンでした。韓国の民主化勢力(とりわけ、カトリック教会)からの多くの情報が、彼を介して日本および世界に発信されたと言われています。このように、越境して活動する人々は、韓国の民主化勢力と日本での連帯勢力をつなげ、翻訳などを通じて韓国の地下情報を日本や世界と共有しました。宋栄淳のように、名も知られていない多くの在日韓国・朝鮮人がこのようにネットワークを支えていたと考えられます。

とりわけ、教会の社会参加を謳ったエキュメニカル・キリスト教ネットワークは、情報交換の場を数多く提供してきました。たとえば、一九七三年にソウルで開かれた第一回「日韓キリスト教協議会」は、日韓の間に今なお残っているさまざまな問題が、国境を越えて市民同士で本格的に議論され始めた場でした。共同声明文には、経済進出問題、在日韓国人の生活および権利擁護の問題、出入国管理法案問題、韓国人被爆者救済問題、キーセン観光問題、歴史教育問題などが共通課題として挙げられました。特に、「韓国教会女性連合会」から特別要請を受けて議論されたキーセン観光問題については、日本の女性キリスト者たちもすばやく反応し、「キーセン観光に反対する女たちの会」を結成するなど、女性運動の連帯が生まれました。エキュメニカル・キリスト教ネットワークの組織的な交流の枠組みを利用することで、韓国の民主化運動と日本の連帯勢力は直接的にコミュニケーション（問題提起、問題意識の共有や討議）をすることができていたのです。

また、韓国の民主化運動のさまざまな運動メディア、声明文、レポートなどの資料が、ひそかに日本に運ばれたことで、間接的な形でのコミュニケーションも行われていました。一九七四年二月、「緊急会議」のメンバーである飯島信牧師は、韓国の民主化勢力から出された七つの声明文を日本に運びました。「東亜日報を支援する会」の倉塚平は、その中のソウル大学の文理大学学生会による「日本の民主良心人士に告げる」という声明文に応答する形で、「民主主義のための連帯——韓国民主化運動のアピールに応えて」（『世界』一九七四年五月号）を書いています。声明文では、韓国の民主化運動に対する支持を呼び掛けるとともに、日本資本の進出のあり方や公害産業の輸出、キーセン観光、労働問題をめぐる新植民地主義に対する問いかけもされていました。それに対し、倉塚は、日本における「隣国の文化や知性に対するいわれなき優越感に基づく全くの無視、無関心」を批判した後、韓国からの問いかけは「われわれの民主主義のこの体質的弱点を克服し、再生させるための貴重な根源的な意義」を持つものとして、韓国の闘いに対する連帯を促しています。当時、韓国には、日本の総合雑誌『世界』がひそかに持ち運ばれ、翻訳され、一部の運動勢力のなかで回し読みされていたことを考えると、こうした日本の連帯勢力の声もまた韓国に伝わっていたと考えられます。

このように、越境する情報交換のネットワークは、韓国の民主化運動を介しながら、「日韓連帯運動」の問題意識や課題を構築していくうえで大きな役割を果たしました。

4.「日韓連帯」の展望──「相互性」を前提にする「連帯」へ

ここまで、一九七〇年代から八〇年代の「日韓連帯運動」を振り返ってきました。越境する情報交換のネットワークを背後に、在日韓国・朝鮮人を含む「日韓連帯運動」のさまざまな運動勢力は、韓国の民主化運動と直接的にも間接的にも問題意識や言説を共有しながら、それぞれの運動課題(「政治犯」釈放や反公害など)の解決に向けて活動してきました。そこで言う「連帯」とは、日韓共通の課題の中で発見された自己の「他者への抑圧的なしくみ」を変革していくこと、日本の民主主義を求めていくことと同義でした。

しかし、一九九〇年代以後、「反動」の動きも大きくなっていきました。日本の政界と保守右派の市民運動は、戦争謝罪決議に反対する運動や、「歴史修正主義」の教科書を出版・拡散させる活動などをしてきました。ちょうど同じ時期、「日韓連帯運動」の問題意識や言説を共有する場となっていたリベラルな総合雑誌文化も退き、「ニュー・メディア」として登場したインターネットでは、保守右派の言説が支配的になっていきました。一方、「日韓連帯運動」勢力は、一九九五年の「アジア女性基金」を含め、植民地支配と戦争責任に対する謝罪、賠償、防止(教育)などの形をめぐって、大きな分裂や葛藤を経験しました。日韓の市民同士の交流は続いているものの、日本軍「慰安婦」や強制労働の被害者らと「連帯」する人々が「売国奴」や「反日」と呼ばれ攻撃されることもあり、厳しい状況になっています。その点、「日韓連帯運動」が求めてきた日本の民主主義は、大きな試練に立たされていると言えるかもしれません。

こうした状況の中で、「日韓連帯運動」の問題意識や課題を継承しつつ、日韓共通の課題を解決するために、「連帯」の概念に立ち戻ってみたいと思います。アメリカの政治哲学者であるサーリ・ショールツ(Sally Scholz)は *"Political Solidarity"* (2008)で、「連帯」の類型として、似たような経験や境遇など類似性に基づく「社会的連帯」、社会文化や制度など社会変化を求める「政治的連帯」、そして、社会保障や環境保護など市民としての義務に基づいた「市民的連帯」を挙げています。ショールツは、とりわけ、「政治的連帯」に注目しながら、「連帯」には「平等」や「同等」ではなく、「相互性」が要求されるとしています。ここで言う「相互性」は、運動に関わる人々の「共有された責任」と「個人的変革」(自己変革)という意味を持っています。すなわち、異なるコンテクスト上に立つ人々がともに社会変化を求める「連帯」には、当該の課題に対する責任意識を共有し、それに基づき、運動に関わる中で自己の社会や自分自身をも変えていく相互性が求められるということです。

このような「相互性」を前提とする「連帯」の概念は、これからの「日韓連帯」の議論において、一つの手がかりになるのではないでしょうか。「相互性」のもとで「連帯」を構築することが、それぞれの社会を問題解決にかなった形で変化させ、その「結果」として、国境を越えた市民同士による国際関係につながっていくことになると考えられます。

そして、一九七〇年代から八〇年代の「日韓連帯運動」がそうであったように、「日韓連帯」のためには、越境する情報交換のネットワークの形成と維持が欠かせないでしょう。日韓の市民社会におけるすべてのネットワークが「連帯」になるわけではありませんが、「連帯」にとって情報交換のネットワークは前提であり核心であります。知識人、活動家、芸術家などを含むさまざまな領域で情報交換のネットワークを形成・維持していくことは、今も継続する植民地主義、そして、その根幹をなす朝鮮半島の分断体制を変えていく基礎になるでしょう。また、日韓の市民社会がその境界を越えてさまざまな課題に共同で取り組んできた過去の経験を、記録・継承することも必要だと考えられます。

「日韓連帯」の再検討に必要な視点とは何か

早稲田大学文学学術院教授
金　敬黙

1．今、何を再検討すべきか

すでにここまで読んでこられた読者のみなさんは、「日韓連帯」の過去、現在、未来の再検討の必要性を納得されていることでしょう。しかし、その再検討のあり方についてはさまざまな方向性が考えられます。

日韓関係を健康状態に喩えて検討してみましょう。今、日韓の健康状態はますます悪くなっているわけです。これを良好な状態に戻すためには、何をもって健康と捉えるか、過去のどの状態に戻るべきなのかなどの基準が必要になります。しかし、現状ではそうした基準が明らかにされていません。つまり、手術が必要なのか、薬物投与による処方なのか、それとも漢方などの予防医学が効くのか、運動や食事療法で改善するのか、祈祷治療を用いるのかなどの方法が判断できない状態にあるのです。

本書のもとになっている座談会の第一回目では、いくつかの論点が浮上しました。その中から私は、この稿で、「日韓関係の変動の背景」と「非対称的なパートナーシップとその行方」について、特に市民や市民社会に焦点を当てて問題提起をしたいと思います。

2.「日韓関係の悪化」に関する通説への疑義

まずは日韓関係の変動の背景を考えてみましょう。国際関係・政治学の分野では、韓国が原因となって日韓関係がこじれているという見方がありますが、実際にはどうでしょうか。私はこのような議論をするとき、意図的にそのキーワードを脱構築したり再構築したりします。「関係」という言葉を「構造」という言葉に置き換えてみたり、「変動」という言葉も別の言葉（たとえば「衰退」「進展」「正常化」「悪化」など）に置き換えてみたりするのです。

本書「はじめに」（三頁）にある通り、冷戦が終わって以来、または「平成」の時代に入って以来、日韓関係が変化したことに間違いはありません。特に二〇一〇年代以降は日韓関係が著しく悪化しました。この悪化は、自然に発生した内部要因による結果と捉えられるかもしれませんが、何らかの外部要因によるものと捉えることも可能です。

それが韓国側にとってみれば、日本の右傾化もしくは安倍政権の台頭によるものであるという言説にもつながります。逆に、日本側にしてみれば、韓国の左傾化もしくは韓国政府の「親北・従北路線」が日米韓の安保同盟を揺さぶっているということになるのでしょう。

議論の活性化のために紹介したい一冊の研究書があります。それは政治学者たちの研究成果をまとめた木村幹・田中悟・金容民編『平成時代の日韓関係』（ミネルヴァ書房、二〇二〇年）です。この本は、国家を研究する政治学者、特に最近の日本の政治学者たちの視点に立脚した研究書で、私の問題提起において一種の「カウンターバイブル」的な役割を果たしてくれる重要なものです。けれども、私はこの本で提示されている結論部分の三つの仮説についてあえて疑義を提示したいのです。私は、市民社会を重視する立場の研究者として、他の要因を分析することや、新たな仮説や命題を発見することが自分の仕事だと考えているからです。

『平成時代の日韓関係』によれば、平成時代、ポスト冷戦時代、もしくは一九九〇年代以降、日韓関係を悪化させる三つの要因が顕在化してきました。一つ目の要因は、冷戦の終焉によって日米韓の反共軍事同盟が変化したことです。二つ目は、韓国の民主化と経済成長による、日韓関係の水平化または対等化です。これは日韓関係が非対称的なものから対称的でポジティブなものになったという見方を生み出しますが、同時に国際経済の仕組みから捉えると、韓国が日本経済の下請け的な役割を果たしていた時代から競合・競争関係の時代へと変化した、という見方にもつながるのです。対等化は民主化と市民社会の側面からは望ましいかもしれませんが、経済セクターの視点からは必ずしもそうではない場合があることを見落としてはいけません。そして三つ目に、中国の超大国化による日本の存在感の相対化や、韓国の北方政策（対ロシア、対中国、対北朝鮮など）という諸点が挙げられます。米中の覇権争いが激化し、日本の存在感が弱まる中、韓国のポジショナリティが問われているのです。

『平成時代の日韓関係』で提示されたこれら三つの「日韓関係が悪化した要因」の背景には、以下の仮説があるようです。

- 仮説1……強くなりすぎた韓国市民社会が日韓関係をこじらせた。
- 仮説2……言論として政策や世論を動かそうとする韓国メディアが日韓関係の悪化につながった。
- 仮説3……韓国司法の日韓関係への干渉が日韓関係の悪化につながった。

これらの仮説について私なりの見解を述べたいと思います。

・仮説1に対するカウンター仮説……韓国の市民社会は本当に「強くなりすぎた」のか。すなわち、市民社会が「強くなる」ことは政治的主体となることなのか。日本の市民社会が「弱くなった」のではないか。

・仮説2に対するカウンター仮説……日本のメディアはナショナリズムを悪用していないのか。すなわち、日本のヘイト関連出版の問題はないのか。デジタル・メディアによる世代間の情報格差やジェンダー間の格差に着目しなくてもよいのか。

・仮説3に対するカウンター仮説……日本の司法は政治（立法府や行政府）から完全に中立・独立的な存在か。すなわち、日本における「花岡事件」などの事例は参考にならないのか。

3. 非対称から対称へ――日韓のパートナーシップの変化

次に、非対称的なパートナーシップとその行方についてお話しします。この点は、次章（三〇頁）にもあるように、戦後補償運動における「日韓連帯」の役割を韓国社会や韓国メディアが十分に認識していない問題や、前章（一四頁）に詳しい「日韓連帯運動」の時代（一九七〇年代から八〇年代）の基本構造に関する認識の問題にもつながります。要するに、一方では、かつての「日韓連帯」に日本の知識人やリベラル市民、あるいは、キリスト者による教派を超えた運動などが韓国の民主化運動や市民を支えた構図があり、他方では今日においてその評価が不十分であるという課題があります。

一九九〇年代以降、またはポスト冷戦期、もしくは「平成期」において、地殻変動が起き、日韓は対称的な主体に変化しました。そのため、現在の韓国社会を実質的に率いている世代と言われる「八六世代（ハチロク）」（八〇年代に学生運動に関わった、主に六〇年代生まれの世代）は、日本に対しての評価が低かったり、日本について興味を示さなかったりするのです。かつての「日韓連帯」の時代の韓国側の民主化運動のリーダーたちは、一九二〇年代もしくは三〇年代の生まれであり、幼少期を日本の統治下で過ごし、なかには日本で学んだ人もいました。彼らは戦後期においても、日本語で情報を得たり、国際的なアリーナで日本の知識人とのパイプを持ったりすることができた世代であったわけです。当時、韓国にとって、世界への〝扉〟は日本もしくはアメリカにあり、皮肉なことに、日本にある〝扉〟の方がアメリカにある〝扉〟よりも世界に通じやすかったのです。しかし、彼らの子ども世代に当たる現在の「八六世代」の対日、対米、対世界のスタンスは一変しました。私自身、過去の論文などで非対称的な関係から対称的な関係へと日韓が変化したことを無批判的にふれてきました。しかし、本書のもとになっている「日韓連帯フォーラム」を通じて、日韓関係をもっと多角的に見る必要があると思うようになりました。

今度は、すこし挑発的な問いかけをあえて試みます。そもそも、日韓関係全般において日韓の市民連帯はどれほどの影響力を持っていたのでしょうか。言い換えると、日韓の市民連帯は韓国の民主化を支えたが、それは韓国の民主化の決定要因・直接要因とは言えないのではないか――という問いです。日韓連帯は、市民レベルの日韓関係の何に対して、どれほどの影響を及ぼしてきたと言えるのでしょうか。精緻な分析を抜きにして、日韓連帯を過度に評価したり批判したりすることは誤解につながります。簡単に「見える化」できるものではないかもしれませんが、だからこそ分析を試みる努力と姿勢は必要でしょう。誤解の無いように強調しますが、「いまだその分析が不十分である」ということを指摘しているのであって、「影響などはそもそもなかった」と主張したいわけではありません。

4．韓国の市民社会は「強くなりすぎた」のか

「(政治的に)強くなりすぎた韓国の市民社会」という言葉について、しつこく考えていきましょう。

私は市民社会と政治社会の間には緊張的な距離感が必要だと考えています。つまり、市民社会そのものが政治空間における主体になりすぎることには批判的です。市民社会やメディアは権力と一定の緊張関係を持ち、権力を監視する機能を果たすべき、というのが私の基本スタンスです。理念上ですが、経済・市場と市民社会が「仲良しこよし」であってもいけないと思っています。

それでは、「強くなりすぎた韓国市民社会」とは、どんな状態を指しているのでしょうか。市民社会が政府に（さまざまな側面から影響を受ける関係という意味で）「呑み込まれた（co-opted）」ということなのでしょうか。それとも、市民社会が韓国政府の言い分や政策を代理に遂行する下部組織化（エージェント化）したということなのでしょうか。このような関係性や構図を具体的に提示しないまま「韓国の市民社会が強くなりすぎた」と唱えることは誤解を生みます。仮に、韓国市民社会の政治的な声や影響力が大きくなったのであれば、それは市民社会にとってよいことばかりではないでしょう。そして、二一世紀に市民社会が国益やナショナリズムの呪縛に囚われていることもよくないでしょう。その場合、韓国の市民社会は「強くなりすぎた」というよりも、「ナショナルの文脈から脱却できていない」と言うべきかもしれません。それは、強くなったのではなく、むしろ停滞しているということです。

市民社会論において、市民社会、政府・国家、市場・経済は三角関係を形成します。そして、その三つのセクターに重なり合う領域は、公共圏あるいは公共性と表現され、協力や分業が機能します。その際、公共を担保するのは価値規範です。では、今日の日韓における共通の価値規範＝土台とは何でしょうか。かつては「反共主義」や「経済成長」という共通の理念が日韓の政府レベルの連帯を生み出してきました。市民レベルでは「民主化」や「人権」がその連帯を支えてきました。ポスト冷戦期にあって戦後補償問題や歴史認識のブレ・ねじれが日韓の政府や市民社会の中ではっきりしてきた今、連帯を支える共通の理念が十分に見えてこないと思えるのは私だけでしょうか。市民社会の土台がナショナリズムであってはいけないはずですから、ナショナルな文脈を普遍的な価値——つまり、「ジェンダー平等」や「人権」、「ダイバーシティ」などに置き換えなければなりません。それが市民社会の役目なのです。

また、「日韓市民連帯」の文脈において「強くなりすぎた韓国の市民社会」という言葉について考えるとき、日本の市民社会が相対的に弱くなったのか、それとも日本の市民社会も強くなりつつある中、韓国の市民社会が著しく強くなったのか……などといった問いを立てる必要もあるでしょう。日本の市民社会の存在感や若者世代の公益・公共への無関心や保守化を問わないまま、韓国の市民社会の変動だけに日韓関係の悪化の責任を押し付けることには違和感を覚えます。もう少し丁寧な議論が必要ではないでしょうか。

5.「東アジア・市民・社会・論」の落とし穴

最後に「日韓関係をどの段階に戻すべきなのか」という問いに対する答えを今後模索していくためにも、「日韓連帯の目指す方向性」の議論が必要であることを提起したいと思います。

たとえば、東アジアについて考える際、国民国家を軸として捉える構図を克服しなければいけないわけです。そもそも東アジアの境界は主権国家の境界線で範疇が決まっているのか、文化圏で決まっているのかといった議論が不十分です。日中韓三国が東アジアの代表国家として議論を当たり前に進めていく構図も問題でしょう。台湾は、モンゴルは、そして内モンゴルは、沖縄は、サハリンは、主権国家の枠組みからは十分に扱えません。けれども、とても大切な要素がそこにあるのです。言い換えると、東アジアやアジアを扱いつつも、それが何を意味しているのかというイメージや実体を具体的に表さないまま、議論を進めてしまっているということです。

辺境や境界線を軸にした議論も活発になってきていますが、コンタクト・ゾーン（境界地帯）という空間軸を用いて「東アジア」や「市民社会」、「日韓」や「連帯」を捉え直すと、今までは見えなかった何か重要なものが新たに見えてくるかもしれません。そのような日韓の対話が必要ではないでしょうか。

（本稿は科研基盤研究C〔研究課題番号18K11828〕の成果の一部です）

被害者的優越意識から脱して「日韓連帯」のバージョンアップを

北海道大学大学院メディア・コミュニケーション研究院教授
玄 武岩

1. 戦後補償運動の危機

日本軍「慰安婦」問題におよそ三〇年にわたり取り組んできた「韓国挺身隊問題対策協議会」（以下、挺対協）、現・「正義記憶連帯」（以下、正義連）が岐路に立たされています。二〇二〇年五月に元日本軍「慰安婦」である人権運動家の李容洙（イヨンス）さんが「運動に利用された」としてこの組織を痛烈に批判したことが戦後補償運動に亀裂をもたらしたのです。

この亀裂は、運動の主体と被害者の乖離したコミュニケーションの現状を露わにしました。その発端が、長らく挺対協を率いてきた尹美香（ユンミヒャン）元常任代表が国会議員に当選したことにあるならば、市民運動が政治権力を欲したことをきっかけに、利害が絡む多様な声を独占することの弊害が露呈したと言えるでしょう。

「慰安婦」運動がフェミニズム運動や他の歴史問題の分野と協働してきたのは事実です。しかしそれは「慰安婦」問題を中心に据えた勢力の糾合に傾きました。「徴用工」や「女子勤労挺身隊」、韓国人被爆者、サハリン残留韓国・朝鮮人などの問題を挺対協・正義連の従属的な位置に置くことで、戦後補償運動を理念の中に押し込め、逆説的にも「慰安婦」運動の孤立を深めていったのです。結局のところ、被害者と運動体、補償と謝罪、救済と理念とが複雑に絡み合う運動の論理を一元化してしまったことで、戦後補償運動として「連帯」する横のつながりを定着させることに失敗したと言えるでしょう。

挺対協・正義連には、弊害を生み出した運動方式とコミュニケーション方法の刷新を通して、韓国における戦後補償運動の代表的な組織にふさわしい位相を取り戻す、市民的・歴史的責務があります。ただし、それはかつての「権威」を再構築することによるのではなく、むしろその解体を通してでなければなりません。

李容洙さんの記者会見の波紋は、これまで「慰安婦」運動に理解を示してきた勢力の分裂や落胆にとどまりません。他の戦後補償運動が「慰安婦」運動の下位に置かれてきた構造が浮き彫りになったのです。そして、戦後補償運動をリードする挺対協・正義連の影で、数々の「連帯」の経験が置き去りにされてきたことも明らかになりました。

一九七三年に結成された「太平洋戦争犠牲者遺族会」(以下、遺族会)が挺対協・正義連を非難する記者会見を開いたのも(二〇二〇年六月一日)、そうした気持ちの表れでしょう。ところで、この記者会見を報じたインターネット上の記事への書き込みは、植民地支配下における強制動員被害者についての無知を期せずしてさらすものでした。韓国の多くの人にとって遺族会は馴染みのない団体だったのです。

2. 戦後補償裁判と日韓のネットワーク

一九九〇年代の日本では、「徴用工」や日本軍「慰安婦」「女子勤労挺身隊」など、日本帝国に戦時動員された韓国およびアジア各国の被害者による、国や企業を相手取った賠償請求訴訟が相次ぎました。それまで遺族会などが強制動員被害者に対する補償や真相究明を求めても、民主化が当面の課題である韓国で、これらの運動に関心が寄せられることはまったくと言っていいほどありませんでした。一九九〇年代以降、「慰安婦」問題がその補償をめぐって政府間の協議の対象になっても、「徴用工」や「女子勤労挺身隊」の問題は「日韓協定により解決済み」という認識により、韓国社会でもあまり注目されることがなかったのです。そうした中でも戦後補償裁判を支え、「物心両面にわたってわが遺族に理解と協力を惜しまなかった」(「ハッキリニュース」五七号)のが日本の市民団体でした。

たとえば、遺族会が主体となり、元日本軍の軍人・軍属および「慰安婦」の三五人が日本国に賠償を求めた「アジア太平洋戦争韓国人犠牲者補償請求訴訟」を支えたのは、一九九〇年一二月に日本で結成された「日本の戦後責任をハッキリさせる会」(以下、ハッキリ会)です。ハッキリ会は、一〇年以上にわたり裁判の費用や原告の渡航費・滞在費などを工面しただけでなく、関係省庁前でビラを撒いて各地で集会を組織したり、ニュースレター「ハッキリ通信」を発行したりして運動の輪を広げました。

ちなみにこの訴訟は、「慰安婦」であったことを初めて名乗り出た金学順(キムハクスン)さんを含む三人の元日本軍「慰安婦」が日本国を提訴した最初の訴訟でもあります。前述の記者会見で、遺族会はこうした成果を挺対協・正義連に「横取り」されたことへの憤慨をむき出しにしました。

また、戦後補償裁判を展開するには、具体的・歴史的な事実関係を拾いあげる調査も必要です。強制動員の実態に関する基礎的な資料を収集する市民活動は全国的に存在しました。一九九〇年からは朝鮮人・中国人の強制動員問題に取り組む団体が集う「朝鮮人・中国人強制連行・強制労働を考える全国交流集会」が各地で開催されてきました。

この交流集会は一時中断された時期もありますが、現在は戦後補償裁判に関わっている市民で構成された「強制動員真相究明ネットワーク」が開催する、「強制動員真相究明全国研究集会」として継続されています。全国的な交流の場が三〇年にわたり続いているのです。

韓国では二〇〇四年に「日帝強占下強制動員被害真相糾明等に関する特別法」が成立したことを受けて、政府機関として「日帝強占下強制動員被害真相糾明委員会」（以下、真相糾明委員会）が発足しました。日本の強制動員真相究明ネットワークは、韓国政府のこうした動きに呼応して二〇〇五年七月に結成されたものです。

このネットワークは、「特に日本における調査が、実りあるものになるためには、日本の政府と民間の強い助力が必要とされ」ることから、「強制動員に関わるさまざまな活動を行ってきた人たちを繋いで資料を集約する」ことを目指し、韓国の真相糾明委員会と積極的に連携しました（『強制動員真相究明ネットワーク』への加入のお願い」）。

こうした「日韓連帯」は、一方的に支援し、支援される関係ではありません。強制動員真相究明ネットワークの事務局長を務めた福留範昭（ふくどめのりあき）が唱えたように、「真相究明は、我々日本人、日本のためにするのです。私たちが直視してこなかった歴史を、日本がそして日本人がアジアの人々に対して、とりわけ朝鮮人に対して行ってきた行為を明らかにすることによって、私たち自身を知るため」の実践だからです。

3. 映画『ハーストーリー』から消えた「日韓連帯」

戦後補償運動で「日韓連帯」が果たしてきた役割や日本側の支援に対する正当な評価は韓国ではあまり見られません。

その象徴的な出来事を紹介します。釜山（プサン）の元日本軍「慰安婦」および元「女子勤労挺身隊」の一〇名が、日本政府に謝罪と賠償を求めて山口地裁下関支部に提訴した「関釜（かんぷ）裁判」（釜山従軍慰安婦・女子勤労挺身隊公式謝罪等請求訴訟）を題材にした韓国映画『ハーストーリー』（二〇一七年）をめぐる問題です。

日本の「戦後責任を問う・関釜裁判を支援する会」（以下、関釜裁判を支援する会）は、一九九二年一二月の提訴から訴訟の終了までおよそ一二年かかった「関釜裁判」を支援していました。その活動は、二〇一三年九月に解散するまでおよそ二〇年続きます。

『ハーストーリー』のポスターは、「日本をひっくり返した関釜裁判の実話　我々は国家代表だった」と謳っています。「日韓連帯」を「国家代表」の物語にすり替えるこのキャッチフレーズが示すように、映画には二〇年にわたり支援活動を続けた「関釜裁判を支援する会」の姿はありません。

「関釜裁判を支援する会」の活動は来日する原告の裁判闘争を支援することだけにとどまりません。ニュースレター「関釜裁判ニュース」を発行する一方、講演会、学習会、文化公演を開催し、裁判のたびに記者会見や街頭デモを行いました。また、意見広告の掲載や国内外の現地調査および資料収集、各種交流会への参加、真相究明法の立法要求など、その活動は多岐にわたります。訴訟が終了しても、韓国で開かれた裁判を傍聴したり、元原告の見舞いや葬儀に参列したりするなど、交流を続けました。二〇〇四年には「第二次不二越訴訟」の支援にも乗り出しました。

「関釜裁判を支援する会」の支援者にも自らが関わった裁判を描く映画への期待があったでしょう。支援者らが出した抗議文には「映画を観て驚愕し、怒りと悲しみを禁じえませんでした」とあります。なによりも「原告たちと支援者たち双方が信頼と敬愛を深め合いながら自己変革していった過程」がすっぽり抜け落ちていることについて、製作者に痛切な反省を求めました（「映画『허스토리』（ハーストーリー）の製作者に抗議する！」（二〇一八年九月一四日））。この抗議文には怒りの気持ちがにじみ出ています。

また、『ハーストーリー』は、「女子勤労挺身隊」被害者の存在を無視して、「慰安婦」被害者の原告を中心とする物語になっているという問題もあります。どちらの問題も、「慰安婦」問題が戦後補償運動を過剰に代表している構造によってもたらされたと言えるでしょう。

4．ハンギョレ新聞に欠ける視点

もう一つの事例を紹介します。韓国の代表的な進歩紙の「ハンギョレ新聞」が日本の市民社会をどのように認識しているかについてです。

韓国のハンギョレ新聞の東京特派員が二〇二〇年夏に交代することになりました。新任のキムソヨン記者は新型コロナウイルス感染症の拡大による入国制限で着任が遅れるなか、八月一三日に「ありがとう、丸木(まるき)夫妻」というコラムを掲載しました。丸木夫妻は、原爆投下後の広島で放置されていた朝鮮人を描き残した画家の夫婦です。キム記者は、日韓の歴史問題に対する日本の世論を取り上げて、「日本では丸木夫妻のように歴史を見る人々は少数だ」と言い、「韓国と日本の特殊な関係のせいで、必ず記憶しておかなければならない人々が後まわしにならないよう、日本に行ったら第二、第三の丸木さんを探して読者に知らせたい」と意気込みを語りました。これは、「日本の良心的な人々を紹介する」ということに過ぎず、日本の市民たちが日韓の戦後補償運動の主体であるという視点を欠いた発想であるように思われます。

「日本での本格的な特派員生活はこれからだから」と擁護することも可能でしょう。しかし、前任のチョギウォン記者のコラムを見ると、どうやらそうでもなさそうです。

日本で三年三カ月の特派員生活を終えて帰国したチョ記者は、二〇二〇年七月一六日に「〝物静かだが粘り強い〟日本の市民たちへ」という題目のコラムを書いています。コラムは「日本に暮らしている間、日本社会の右傾化に対抗するこうした日本市民の姿を何度も目撃した」と驚嘆しながら、次のように続きます。

> 長い歳月にわたり粘り強く努力する側面では驚かされることが多い。日本では地域別に朝鮮人強制動員および慰安婦被害、関東大震災朝鮮人虐殺、朝鮮人の軍人・軍属遺骨返還のような問題について数十年にわたり研究して運動をしてきた人々がいる。韓国政府が作成した強制動員被害関連真相調査報告書の随所にも、こうした物静かな日本人活動家の助力の跡を容易に見つけることができる。個人的にも日本の市民活動家の助けがなかったら日本国内での取材は不可能だったと思う。改めて感謝の気持ちを伝えたい。（傍点筆者）

チョ記者は日本の市民社会に敬意を表しているに違いありません。とはいえ、このコラムからも日本の市民は取材の助力者に過ぎず、戦後補償運動における「連帯」の当事者でありパートナーであるという認識はあまり感じられません。そもそも、韓国政府の真相糾明委員会の活動自体が、強制動員真相究明ネットワークなどの市民社会の調査研究がなければ、目的の達成が困難であったことにも想像が及んでいないのです。戦後補償運動を支えた資料発掘と調査研究の多くは、韓国政府機関への「助力」というよりも、韓国やアジアからの戦時強制動員の被害者の声に日本の市民社会が向き合って必死に応答する中で蓄積された「連帯」の所産です。

5.「日韓連帯」のバージョンアップを

このように、歴史認識問題において、韓国のマスメディアや映像製作者は植民地支配された韓国こそが日本を追及する主体であるという独善的な意識＝「被害者的優越意識」から逃れられていません。それは韓国の市民運動も同じで、挺対協・正義連に端を発する戦後補償運動の亀裂も「被害者的優越意識」が背景にあると言えます。

韓国の「慰安婦」運動が、運動の主体と被害者、他の戦後補償運動、海外の支援団体との「連帯」のうえに成り立っていたならば、紛糾の芽は摘み取られていたかもしれません。李容洙さんは、挺対協・正義連の運動方式を批判しながらも、あくまでも日本政府の謝罪を求めるとし、その方法として「日韓の学生交流」を挙げました。実際、李容洙さんは以前から若者の交流を重視し、他の戦後補償運動とも連帯してきました。「慰安婦」運動には多くの利害関係が絡むとはいえ、李容洙さんはより広い視野から日韓の歴史問題を捉え、その解決に向けて人権活動家として実践を重ねてきたのです。

日本軍「慰安婦」運動を始めとする戦後補償運動が人権の回復と持続可能な平和への道筋を提示するには、李容洙さんの問題提起を真摯に受け止め、彼女の人権活動家としての矜持を支えている「連帯」の経験に、今一度立ち戻らなくてはなりません。

挺対協・正義連の例のように、政治に接近する韓国の市民運動の問題が露呈すると、これらの市民団体が日韓対立の元凶であるかのようにバッシングが起きます。もっとも国際政治からみた日韓関係において、日韓の成熟した市民社会は未来志向のパートナーシップに対する「制約要因」として位置付けられるのが常です（木村幹・田中悟・金容民編『平成時代の日韓関係』ミネルヴァ書房、二〇二〇年）。

たしかに、韓国民主化後に市民社会が対等に交流することで成り立つ日韓関係は、新たな時代に突入しました。近年よく耳にする日韓関係の「ニューノーマル」というのは、日米韓擬似三角同盟を基盤とする冷戦構造の解体や中国の経済的台頭（＝日本の国際的地位の低下）に加え、こうした市民社会の成熟がもたらした構造転換を背景としています。

もっとも、冷戦の崩壊により凍結されていた記憶が解凍されたのは、東アジアだけではありません。過去と向き合うことを迫る「記憶のグローバル化」の波はヨーロッパにも押し寄せました（アンリ・ルソー『過去と向き合う』吉田書店、二〇二〇年）。ただし、国際関係の構造が変化したからといって、自ずと戦後補償への道が拓かれるわけではありません。そこには、植民地支配に端を発する諸問題への日本の市民社会の取り組みとアジアの強制動員被害者との相互作用が欠かせません。それが国家暴力に対するトランスナショナルな抵抗となり、「戦後日本の戦争責任論」をも大きく転換させました。

こうした背景を踏まえれば、一九九〇年代以降、政治・経済のみならず、社会・文化の領域でも劇的な拡大を遂げた日韓関係において、市民社会の成果は国際政治関係のみに従属するものとは言えないでしょう。市民社会を日韓関係の従属変数として把握するのではなく、その独自の領域から日韓関係のもう一つの側面をあぶり出せば、国家間関係を制御する潜在的な力を見出すこともできるはずです。

そのためにも、「日韓連帯」をバージョンアップして現在の日韓関係の中に位置付け直さなければなりません。国家間関係が揺さぶられても市民社会が日韓関係を支えていくには何が必要なのかについて、模索することが求められているのです。

第二部　現場からの報告

「日韓誠信学生通信使」の成果と可能性

早稲田大学アジア研究所招聘研究員
小田川 興

1．韓国取材で学んだこと

私が朝鮮の問題について本格的に触れたのは、朝日新聞の記者として一九六八年に在韓被爆者を取材したときでした。植民地支配下で強制連行や渡日を余儀なくされ、広島や長崎で被爆した在韓被爆者の救済は、一九六五年の日韓国交正常化で「解決済み」とされ、被爆者は「政治の谷間」で苦しんでいました。帰国後も病苦と貧困、差別の三重苦にあえぎ、記者に「助けてください」と訴える被爆者たち――その掌の温もりが私の原点です。

一九七三年から一九七四年にかけて、ソウルに語学留学しました。留学の後はソウル特派員として、冷戦下の長期独裁政権とその崩壊、民主化への大転換……と激動する現場を取材しました。在韓被爆者問題に加え、一九九一年からは、金学順（キムハクスン）さんら元「慰安婦」の証言に始まる戦後補償問題など、歴史に起因する「断層」に向き合いながら、問題解決の道を考える日々を送りました。その中で、日韓の市民・宗教団体の連携は重要な役割を果たしていました。

一九七〇年代から、大阪、広島、長崎、東京の市民団体が「韓国原爆被害者協会」を支援していました。それらの団体は裁判闘争にも取り組むことで、二〇〇二年の被爆者援護法の適用につなげました。また、冷戦終結による朝鮮半島の雪解けを背景に、南北朝鮮・日本の女性団体が対日補償を促すために連携しました。その動きの中で、元「慰安婦」のハルモニ（おばあさん）の証言が始まったのです。

こうした取材をしているうちに、日韓の「情報ギャップ」が「嫌韓」や「反日」の感情を引き起こしている状況に危機感を持つようになりました。二〇一八年以降は、元「徴用工」と「慰安婦」の対日賠償請求裁判の判決を契機に、日韓関係は「最悪」の状況になったとも言われています。その解決のために、「連帯」の持つ可能性について考えたいと思います。

2. 戦後五〇年企画「日韓交流への提言」

日韓は歴史と文化において多くの共通点を持っているのだから、互いに相手の言葉で発信し合えば心を通わせることができるはずだ——これが私の素朴な発想でした。その思いが深まったのは、戦後五〇年にあたる一九九五年に行われた民間企画「日韓交流——過去を踏まえて未来への提言」の論文募集でした。朝日新聞社と東亜日報社の共催で、高麗書林が協力しました。両国から二四三編の応募（うち在日韓国・朝鮮人四一編）がありました。

審査委員は加藤周一（かとうしゅういち）さんや池明観（チミョングアン）さんなどで、私は編集委員として審査に関わりました。寄せられた多く

論文募集のチラシ

の論文から、日韓の国民同士で歴史を乗り越えて和解したいという願いやその架け橋になろうとする思いを感じました。

3.「日韓誠信学生通信使」のはじまり

こうして私は、両国民の互いに「引き合う心」に触れたことで、実際に交流の場を設けたいと考えるようになりました。そこで、新聞社を定年退職した後、早稲田大学アジア研究機構の非常勤の客員教授になったのを機に、早稲田大元総長で同機構長の奥島孝康さんに交流計画を提案しました。これがきっかけとなって二〇〇六年、同研究機構と高麗大学・日本学研究センター（現・グローバル日本研究院）が学生同士の交流のための共同プロジェクトに乗り出すことが決定しました。

高麗大学は戦前から多くの留学生を早稲田大学に送ってきました。私自身も一時、同大学東北アジア経済経営研究所の顧問を務めました。そうしたネットワークがこのプロジェクトに結実したと言えるでしょう。

実際にプロジェクトを開始するまで、準備のために数年を費やしました。私は教員、のちには早稲田大学ボランティアセンター「日韓未来構築フォーラム」のコーディネーターとしてこのプロジェクトを進めてきました。

話し合いを進めるうちに、プロジェクトの目標は、交流を通して「誠信」の理念で日韓の「共生」を実現することに定まっていきました。「誠信」とは、江戸期の儒学者・雨森芳洲が説いた「互いに欺かず、争わず、真実を以て交わる」（雨森芳洲『交隣提醒』、一七二八年）という精神を指しています。雨森は、対馬藩に仕えて朝鮮通信使の接遇役を務め、朝鮮側の厚い信頼を得た人物です。

プロジェクト名は「誠信学生交流」（二〇一三年から「日韓誠信学生通信使」）とし、以下の点を念頭に置きながら、日韓の歴史問題の克服のために努力する計画を立てました。

・次世代を担う学生たちで率直な意見交流をする
・市民も参加して重層的な討論を心掛ける
・対等な交流を実現するため、可能な限り相手の言葉を使い意思疎通を図る

この実施計画は、日韓交流の促進について政府に提言する「韓日文化交流会議」にも高く評価されました。

こうして誕生した日韓誠信学生通信使はスタディツアーの実施を主な活動として、二〇〇九年から現在に至るまで続いています。早稲田大学と高麗大学が中心で行ってきましたが、韓国からは当初、光州の朝鮮大学と国立全南大学、また、日本からは慶応大学、東京女子大学、法政大学、神田外語大学の学生が個人参加しています。日韓の学生と教職員、市民の参加者は、共催・協力企画を含めて約二〇〇〇名に及びます。一〇年以上にわたる活動の中で多様なテーマを取り扱ってきましたが、主に「東アジアの平和と共生の視点から『核と人間』を考える」「『戦争と平和』について複眼で学ぶ」「日韓の『歴史』をどう乗り越えるか」の三つに分けることができます。

ここからは、早稲田大学ボランティアセンター発行の「活動報告書」を参考にしながら、活動内容を三期に分けて紹介します。

4. 第一期――清里サマースクールと意見交換会

日韓誠信学生通信使の活動には、早稲田大学ボランティアセンターが深く関わっていました。二〇〇九年

は、その設立に尽力した元総長の奥島孝康さんと画家の平山郁夫（ひらやまいくお）さん（同年死去）、在日韓国人の河正雄（ハジョンウン）さん、そして山梨県北杜（ほくと）市の協力を得て、「清里（きよさと）サマースクール」を実施しました。植民地朝鮮の全土に植樹し、死後もソウルの墓地に眠ることから「朝鮮の土になった」と言われる浅川巧（あさかわたくみ）と、その兄で「朝鮮古陶磁の神様」とされてきた浅川伯教（あさかわのりたか）の兄弟について学ぶスタディツアーです。学生だけでなく地元市民も参加しました。「文化を通じた草の根交流は、政治的対立を乗り越える力だ」という点で参加者の意見が一致したことが印象的です。

翌二〇一〇年は、韓国併合から一〇〇年という日韓関係史の重要な節目の年で、菅直人（かんなおと）首相（当時）は、あいまいな表現ながらも韓国併合の強制性を認める談話を出しています。この年に行った意見交換会では、韓国側の参加者から「加害者は忘れ、被害者は忘れない」という発言があった一方で、双方の参加者から「日本は加害の事実を記憶しなければならない」「お互いに近現代史を学び、共通の認識を持ちたい」という声も多く上がりました。

5．第二期――三・一一を経てヒロシマ・スタディツアーに転換

二〇一一年三月一一日、東日本大震災とそれにともなう福島第一原子力発電所での過酷事故による「核災害」が発生しました。未曾有の事態の中で、この年は日韓誠信学生通信使の活動を「ヒロシマ・スタディツアー」（八月五日～八日）に転換しました。大地震の脅威と放射能拡散の現実を踏まえ、被爆地・広島で韓国人被爆の歴史と実相を学ぼうというものです。「核と人間は共存できるか」を問う重要なツアーとなりました。

事前学習では、ＮＨＫの在韓被爆者ドキュメンタリー「原爆棄民」を観賞したうえで、ディレクターの話と、一九五四年南太平洋での米国の水爆実験で被曝した第五福竜丸の乗組員・大石又七（おおいしまたしち）さんの証言を聞きました。

私が携わってきた「在韓被爆者問題市民会議」との共催でした。

ツアー参加者は、広島平和記念公園内の韓国人原爆犠牲者慰霊碑の近くに植樹をしました。植えたのは、浅川巧が朝鮮半島に数多く植えたとされるチョウセンゴヨウという名前の松です。韓国被爆二世の広島総領事・辛亨根（シンヒョングン）さんらの支援で実現しました。このとき、東京大学教授の姜尚中（カンサンジュン）さんが参加者に向けて「被爆韓国人が眠る場に立って『過去は死なない』ことを確かめ、生き方の糧にしてほしい」と話しました。ツアーでは、広島平和記念公園以外にも原爆ドームや平和記念資料館を見学し、八月六日には平和記念式典に参加しました。討論会では、韓国側の学生から「原爆は韓国に解放をもたらしたと考えていたが、被爆国日本の立場を初めて考えた」という声も上がりました。また、滋賀県高月（たかつき）町にある雨森芳洲庵を訪問して、「誠信」の交隣（外交）精神についても学びました。

二〇一二年以降、同様のヒロシマ・スタディツアーを実施する際には、八月五日の韓国人原爆犠牲者慰霊祭にも欠かさず参加してきました。二〇一八年に慶尚南道陝川（キョンサンナムドハプチョン）の被爆者の証言を聞いた日本の学生は、「被爆ハルモニが『もう戦争はダメだよ』と日本語で訴えたことに、戦争体験者から直接話を聞ける最後の世代として、その声をどう活かしていけるか」と自問していました。一方、韓国の学生の「韓国人被爆者の存在を知らなかった」という声は少なくありません。原発については、日韓の学生

2014年度日韓誠信学生通信使報告書の表紙

の中に「エネルギー源として原発は必要だ」との意見がある一方で、日本の学生からは、三・一一を教訓に「人類の生存のために原発からの脱却を試みるべきだ」という強い主張がありました。

6．第三期——韓国でのスタディツアーの実施

二〇一四年、学生の希望に応えて、韓国でのスタディツアーを初めて実施しました。「韓国のヒロシマ」と呼ばれる陝川にある韓国原爆被害者福祉会館を訪ねて被爆者の証言を聞き、さらに冷戦体制を引きずる南北対峙の現場・板門店（パンムンジョム）を見学しました。

以後、ヒロシマツアーと韓国ツアーを隔年で実施してきました。特に、戦後七〇年と日韓国交正常化五〇年にあたる二〇一五年は、八月にヒロシマツアーを実施し、一二月にかつて朝鮮通信使のルートだった対馬（つしま）と、東日本大震災の爪痕が残る石巻（いしのまき）と陸前高田（りくぜんたかた）を訪問しました。ヒロシマツアーでは、早稲田大学ボランティアセンターと提携している広島経済大学興動館（こうどうかん）が全面的な協力態勢を組んで迎えてくれます。

二〇一六年に実施した韓国ツアーでは、二〇〇一年にＪＲ新大久保駅で人命救助のために犠牲になった韓国人留学生・李秀賢（イスヒョン）さんの墓所がある釜山（プサン）を訪れ、李さんを偲びました。毎年一月二六日の命日には、同駅で行われる追悼式に日韓誠信学生通信使の学生代表が参加するようになりました。

二〇一八年には、朝鮮戦争で米軍による住民虐殺があった老斤里（ノグンリ）を見学し、戦争の実相について考える機

日韓未来構築フォーラム
日韓誠信学生通信使 2018
——共生と平和への旅——
2018年8月17日〜22日
韓国ソウル・陝川・老斤里・大邱・非武装地帯
主催：早稲田大学平山郁夫記念ボランティアセンター日韓未来構築フォーラム・誠信交流
高麗大学校グローバル日本研究院
共催：高麗大学校日語日文学科
助成：東亜日報附設 化汀平和財団
HJ PEACE

2018年度日韓誠信学生通信使報告書の表紙

会を持ちました。このとき、本書の編著者である早稲田大学教授の金敬黙さんからは、「加害・被害の関係をより鳥瞰図的な視点で見つめて平和と人権というテーマに昇華していく必要がある」という助言を受けています。このとき日韓の学生から「上官の指示で発砲し、苦悩する米軍兵士も被害者ではないか」との見方が出る一方で、「米兵には民間人を撃たないという選択の余地があったから、加害責任は免れない」という意見もありました。また、別の日には、非武装地帯（DMZ）を展望台から望み、二〇〇〇年に行われた南北首脳会談を契機に「復活」した都羅山(トラサン)駅も訪問しました。この年の事前学習では、韓国の抵抗詩人・尹東柱(ユンドンジュ)の詩と生涯を学んでいます。

二〇一九年は、政治経済学部教授・政治学研究科長の田中孝彦(たなかたかひこ)さんによる特別ゼミ形式でヒロシマツアーを行いました。このとき早稲田側の参加者は八名中四名が大学院生であったため、高いレベルの学習ができました。

二〇二〇年は「被爆七五年ヒロシマツアー」を計画していましたが、新型コロナウイルスの感染拡大を受けて中止しました。現在は、コロナ収束後の交流再開へ向けて準備を進めているところです。

7．主な証言者・講演者・訪問先

主な証言者と講演者、その他の重要な見学対象は以下の通りです。

・証言／講演者……韓国原爆被害者協会名誉会長・郭貴勲(クァククィフン)さん、在日韓国人被爆者・李鐘根(イジョングン)さん、在外被爆者支援連絡会共同代表・平野伸人(ひらののぶと)さん、韓国元産業資源相・金泳鎬(キムヨンホ)さん、元広島市長・平岡敬(ひらおかたかし)さん、前韓国の原爆被害者を救援する市民の会広島支部長・豊永恵三郎(とよながけいざぶろう)さん、NGOピースボート共同代表兼核兵器廃絶国際キャンペーン（ICAN）国際運営委員・川崎哲(かわさきあきら)さん、長崎大学核兵器廃絶研究センター長・

吉田文彦さん、「原爆の図」丸木美術館学芸員・岡村幸宜さん、朝鮮通信使研究家・辛理華さん、映画「李藝――最初の朝鮮通信使」プロデューサー・益田祐美子さん

・日本の訪問先……朝鮮通信使の上陸地・呉市下蒲刈の松濤園、朝鮮通信使が宿泊した福山市鞆の浦・福禅寺（広島県）、朝鮮人街道（近江八幡市）、「原爆の図」丸木美術館（東松山市）、第五福竜丸展示館、女たちの戦争と平和資料館〈ＷＡＭ〉（東京）、布施辰治顕彰碑、大震災で児童七四名が犠牲になった大川小学校跡（石巻市）

・韓国の訪問先……韓国・原爆資料館、世界遺産「高麗大蔵経」と海印寺、映画村（陜川）、竜頭山公園内の倭館跡、朝鮮通信使歴史館（釜山）、国債報償運動記念館（大邱）、安重根紀念館、タプコル公園、西大門独立公園、国立中央博物館、景福宮、東亜日報社・韓国新聞博物館（ソウル）

8. 未来を拓くパワーに

これまでに日韓誠信学生通信使の参加者からは、「韓日の学生が話し合い、戦争を起こしてはダメだという考えを持つことができれば、私たちが社会進出して声を出せるようになった際、韓日関係が改善されると信じる」（韓国の学生）、「誠信の学びを基に問題解決のロールモデルをつくることで、世界をよい方向に変えていけると確信できた」（日本の学生）といった前向きな感想が多く寄せられています。なかには、「私たちで歴史教科書をつくろう」という提案もありました。交流を通じて強まった「連帯」の意識は、世界に拡散する分断と差別を克服する可能性を持っていると思います。

参加者たちの行動が現実を変える力を持っていることを示す事例を紹介しましょう。

二〇〇九年の清里サマースクールに参加した高麗大学のＩさんは感想文に「日本の若い彼らが大切な兄弟

になった。彼らと共に、関係改善の使命を感じる」と書き、卒業後は山陰地方の自治体の国際交流員として活躍しました。日本人職員と結婚して二児の子を育てている今も「日韓の間に橋を架けたい」と願い、韓国語講師などを続けています。

二〇一五年と二〇一六年に参加した早稲田大学のSさんは、早稲田・高麗両大学が毎年行う「グローバル・プレゼンテーション・コンペティション」にエントリーし、「日韓共同公共放送局」を提唱して優勝しました。独仏による放送機関「Arte」をモデルに、日韓が「両国の視点」で互いの歴史や社会を学べる番組を同時通訳と字幕付きで放送するというアイディアです。その後、Sさんは放送記者となって夢の実現を目指しています。

9.「進化」のための課題

日韓誠信学生通信使は今後も一層の進化を目指していくつもりですが、そのためには主に二つの課題に取り組む必要があると思っています。

一つ目の課題は、「相手の言葉で話す」ということです。高麗大学からの参加者には日本語を専攻している学生が多く、彼らの日本語能力と比較すると早稲田大学の参加者の韓国語能力は劣ります。こうした状況を打開するため、一時は、韓国留学経験のある早稲田大学の学生と高麗大学から来ている留学生の協力を得て、「誠信語学塾」を開いていましたが、講師である学生たちが卒業してしまったため中断しています。今後は英語も補助的に活用していきたいと思っています。

二つ目の課題は、交流を一過性のものに止めないということです。二〇一七年以降、すでに参加経験のある日韓卒業生のツアーへの参加が続いています。こうした動きを受けて、今後は金敬黙さんらの指導を得て、SNSを利用した在学生・卒業生のネットワークづくりに挑戦していきます。

「南北コリアと日本のともだち展」における日韓ＮＧＯの経験

ＫＯＲＥＡこどもキャンペーン前事務局
寺西　澄子

１．ＮＧＯと朝鮮半島の関わりのはじまり

「ＫＯＲＥＡこどもキャンペーン」は、朝鮮民主主義人民共和国（北朝鮮）の子どもたちへの人道支援を行い、市民の立場から北東アジアの平和構築に寄与しようと立ち上げられました。そもそもは、一九九五年に朝鮮半島で起きた大雨洪水の被害に際して、特に北側で農地が大規模な被害を受け、食糧不足も深刻と報じられたことから、食糧支援を行おうという「人道支援」キャンペーンでした。その後、地域の平和を主体的につくっていくために積極的な交流を図ることも活動の一つとなり、「ＫＯＲＥＡこどもキャンペーン」を創設して、「人道支援」と「人的交流」の二つの柱をもって活動してきました。そのため、支援や交流の対象のメインは北朝鮮だったわけですが、北東アジア地域の仲間として日本と最も近しく、また北との直接的な関係を持つことができていないという似通った課題を抱える「南」、すなわち大韓民国（韓国）もこの事業における貴重かつ大きな存在でした。ただし、日本と韓国では事情や心情が異なる点も少なくありません。そのため、互いに相手の方針や手法を尊重して適度な距離を保ちながら情報交換などの連携を図ってきた経緯があります。

2. 人道支援における共通課題

「人道支援」における日韓の共通課題は、支援をしたくても容易にはできないという点でした。北朝鮮は、日本にとっては隣国でありながら国交がない、韓国にとっては同胞でありながら休戦中で近くにいるにもかかわらず最も現場に入りにくい場所です。もちろん、どこかの国で自然災害などが起こったときにその支援に率先して取り組むのは一般的に国連などの国際的な組織です。とはいえ、日本や韓国は、北朝鮮の食習慣をはじめとする文化をよく知り、物資の輸送も近距離から最も早くできるはずです。それなのに、政治的な事情によって現地に入ることさえできず、支援物資を送るルートも限られている——そうしたやりにくさを共通の課題として持っていました。そしてこの課題を克服するために情報交換が双方にとって必須だったのです。

なお、一九九五年の朝鮮半島での水害の際、北朝鮮への人道支援に取り組もうとした日本のグループの中に、いわゆる国際協力NGOがありました。アジアやアフリカといった地域で活動してきた人々が、「遠い地域で活動してきたのだから、当然、隣国の人たちも助けなくては」という、やむにやまれぬ思いから北朝鮮に関わろうとしたのです。その意味で、戦争責任や民主化を念頭に置いた従来の「日韓連帯」とは少し異なる文脈からのアプローチだったことが特徴的だったのではないかと思います。もちろん、それまで韓国の民主化運動と連携をとってきた方々は、北東アジアにおける平和を考える過程で、北朝鮮に暮らす市民との連携に当然関心を持っておられましたし、韓国側のパートナーからも北朝鮮の支援活動への協働の要請を受けていたはずです。また、在日コリアンの方はより自分事として、強い思いを持って同胞支援に取り組んでおられました。そのため、北朝鮮での人道支援を新たに始めたNGOは、こうした先人たちから大きな後押しをしてもらったことになります。

2007年に北朝鮮の元山（ウォンサン）市にある江原道（カンウォンド）育児院の子どもたちに食糧を届けたときの様子

人道支援をしたくても現地に入りにくいという困難を克服するために、日韓のNGOは情報交換を重ねました。はじめは国連やアメリカのNGOが主催する国際会議に参加し、そのフォローアップの会議を東京やソウルなどに招致するようになりました。二〇〇〇年に東京で開催された「DPRK（北朝鮮）人道支援国際NGO会議」（二〇〇〇年七月）はその一例です。第一回南北首脳会談の直後で、今後は統一への歩みが加速し、北朝鮮の門戸も大きく開いていくのではないかという期待から、日韓NGOや在日民族団体も積極的に参加していました。また、その前哨戦とも言える「北朝鮮人道支援日韓NGOフォーラム」（一九九九年二月）では支援活動以外にどのような活動ができるかという課題が取り上げられ、支援に付随するさまざまな活動の事例紹介も行われました。

日韓が向き合って議論をたたかわせるのではなく、「北朝鮮の子どもたちをなんとかして救おう」という一つの目標のために知恵を出し合うという点で、こうした会議は「日韓連帯」の発展型だったと言えるかもしれません。ただ、日韓が共同で人道支援活動に取り組むことは現実的ではありませんでした。なぜなら、北朝鮮が非常に堅固な縦割りの体制をとっていて、受け入れ組織が、日本、韓国、在日コリアン、と分かれているかと思えば、キリスト教団体、仏教団体などと、さらにそれぞれ細分化されているためです。手法などはお互いから学べても、共同プロジェクトの実施というその意味での「連帯」は困難——それが北朝鮮に対する日韓の人道支援の現状であり、これからの課題でもあると思います。

3. アイディアの共有、そして協働

前述の「北朝鮮人道支援日韓NGOフォーラム」に参加していた韓国のNGOの一つに「オリニオッケドンム」という組織があります。オッケには「肩」、ドンムには「友人・仲間」といった意味合いがあり、栄養状態の差によって身長に大きな差がある南北の子どもたちがいつか肩を組むための「背の高さ」、そして隔絶され互いを敵であると教育されてきた南北の子どもたちが平和的な協力関係を築くための「心の高さ」を食糧支援を通じて同等にしたいというコンセプトが込められています。

フォーラムでは、そのオリニオッケドンムから、少しでも北の子どもたちを身近に感じてもらうための手段として、南北の子どもたちの絵とメッセージを交換する活動の紹介がありました。文化交流にはさまざまな方法がありますが、スポーツにせよ音楽にせよ、人の往来が欠かせません。その点、絵であれば、ただ絵を持って行き、持ち帰ってくればよいのです。しかも、絵を描かず鑑賞するだけの人も、感想を書いて送ることができます。国交不在で入口が狭いのであれば、こうした小さなところから道を切り開いていけばいい。そ

の積み重ねで関係が構築されていけば、支援活動のしやすさにもつながっていくのではないか——ということで、アイディアをお借りして日本型にアレンジしていくことにしました。日本社会では「北朝鮮の子どもたちに支援活動をしています」と直接的にアピールしても受け入れられにくい風潮があります。そのため、子どもの絵を通じて、北朝鮮社会のことやそこに暮らす子どもたちの日常を知らせることは有用な手段となることが期待できたのです。

こうして一九九〇年代の終わりに、「連帯」の前段階ともいえる「連携」から絵画展の企画が生まれましたが、二〇〇〇年に南北首脳会談が開催されるという大きな歴史的な出来事があり、追い風が吹くことになりました。このタイミングで韓国側が、「北」の人に直接出会うための道が開いていくだろうという大きな期待を抱くのは当然のことでした。そこで韓国の市民団体が注目したのが日本という〝場〟でした。当時はまだ、日本に北朝鮮の人が入国できたので、日本でならば北と南の人が出会う可能性もあったのです。少なくとも在日コリアンの中には、朝鮮総連に所属し、北朝鮮と行き来をしている人たちがいて、また北朝鮮本国との連携をもって民族教育をすすめる朝鮮学校もあります。日本の市民と「ＫＯＲＥＡこどもキャンペーン」を含む複数のＮＧＯが実行委員会を立ち上げ、韓国のオリニオッケドンムを協力団体として、二〇〇一年六月に東京で「南北コリアと日本のともだち展」を開催しました。オリニオッケドンムから韓国や北朝鮮の子どもたちの絵を借り、日本の側でも、北朝鮮の子どもたちの絵のほか、日本や朝鮮学校の子どもたちの絵を準備しました。その後、韓国で行われた行事には日本から絵を提供しました。このとき、「ともだち展」に寄せられた作品という形で、在日朝鮮人の子どもたちの絵も韓国で紹介することができました。さらに二〇〇二年には、韓国で開かれる行事への朝鮮学校の生徒の参加も実現しました。これは、南北融和の政治的な流れが大きく影響したことによるものですが、日韓〝連携〟の土台があったからこそ、その流れをしっかりと捉えて活かすことができたと思っています。

日本側にとってもこの連携は不可欠でした。日本社会において、南北首脳会談は地域の平和のためにもよい流れだという認識を持っている人は多いですが、北朝鮮と親しくしていくことや国交正常化を実現することはかなり先のステップです。しかしこのタイミングでいわゆる「韓流ブーム」がやってきたこともあり、ぐっと身近になった韓国の子どもたちと交流できる点が魅力となって、日本の子どもたちが関心を持ってくれました。そして韓国の子どもたちが分断をどう捉え、北朝鮮に暮らす同胞をどう想っているかを伝えることから、間接的に「北」について伝える糸口を掴むこともできました。また、オリニオッケドンムに教育の専門家が多く携わっていたことから、交流活動のアイディアや手法を多く学びました。行事に参加した日本の子どもたちの多くは交流に夢中になり、数年ののちにはその「楽しい」体験を他の子や後輩とも共有したいとボランティアに関わってくれました。さらに、この行事を通じて元気をもらったと話す朝鮮学校の子どもたちが、平壌の子どもたちにも意識的にその経験を広めてくれました。

4. 必要なときに声をかけあえる関係こそ

金大中(キムデジュン)・盧武鉉(ノムヒョン)政権下で、韓国の市民団体は対北人道支援が大規模に行えるようになり、交流活動も東アジアを視野に入れて幅を広げるようになりました。日韓の性格的な違いもあるかと思いますが、絵とメッセージの交換という基本線を守って毎年絵画展を続ける、見方によっては発展性がないとも言える日本の取り組みは、韓国側にとってもどかしく感じられることもあったでしょう。実際、「韓国社会では常に新しいことを求められる」「絵画展だけでは訴求力が足りない」と言われて、新しい活動を提案されたり、協働を促されることもたびたびありました。韓国では絵画展を開催しないのに、絵画募集をして日本に送るという作業も

2002年にソウルで開かれたオリニオッケドンムのワークショップで「北の友達にプレゼントするとしたら？」という問いかけに「サラン（愛）！」と答える子どもたち。この年、朝鮮学校の子どもたちが初めて参加した

2002年に東京で開かれた「ともだち展」に参加した韓国の子どもたちが朝鮮学校で歓迎を受ける様子

2010年の「ともだち展」で共同制作した作品。東京、ソウル、平壌から始まる道が合流してみんなで大きな「おまつりのひろば」にたどり着くというストーリーが込められている

日本から届いた絵を見ながら作者に向けてメッセージを書く平壌の子ども

2014年の「日朝大学生交流」で平壌市内をめぐる日朝の大学生たち

容易ではなかったはずです。こちらも期待に応えられない申し訳なさを抱えつつ、できることは積極的に取り入れるようにしました。そうして生まれた風通しのよさと、ちょっとした距離感のある信頼関係があってこそ、二〇年近い連携が可能となりました。

日本側では「ともだち展」の経験を土台に二〇一二年頃から、日朝大学生交流を行っています。自分で意思決定ができる年齢になった大学生とともに平壌を訪問し、日本語を学ぶ北朝鮮の大学生と交流するのです。しかし、北の教育現場にアクセスすることは簡単ではありません。そこで、当時、日本語教育を支援していた教育者の方々の協力を得ることで、どうにか学生交流の端緒を開くことができました。その後、大学を訪問して学生同士が言葉を交わしたり、校外に出かけて市内観光や食事をともにしたりして、数年目にはピクニックに出かけて日本語での意見交換の場を持つこともできるようになりました。時間をかけて交流の道を拓いてきたのです。

北朝鮮人道支援に取り組む韓国ＮＧＯにとって、

李明博（イミョンバク）・朴槿恵（パククネ）政権は冬の時代でしたが、オリニオッケドンムは京畿道（キョンギド）内の学校での平和教育活動を続け、子どもたちが集う平和キャンプを開催し、そこへ私たちを招いて「ともだち展」のための作品づくりにも協力してくれていました。その姿を見ていると、やはり、分断の責任を負う日本人が韓国の人たちを差し置いて毎年平壌を訪問でき、韓国でその交流について語れてしまうことに、いびつさやおこがましさを感じました。しかし、日韓で切り拓いてきた交流の道を「東アジアでともに生きる子どもたち」に続いて歩んでいってほしい――その思いを私たちは共有しているはずだと信じられたことで、遠慮せずに取り組むことができました。

先日、交流二〇年を振り返るオンラインイベントを韓国側が準備してくれました。過去に交流に参加し、今は社会人となっている子どもたちが登壇して、

「誰かがつくってくれた道があって自分はそこを歩むことで貴重な経験ができた。これからは自分たちが道をつくっていく番だが、どうじたらよいか悩ましい」

などと語りました。行事の後、長年苦労をともにしてきた韓国の実務者から次のようなメールをもらっています。

「自分たちのしてきたことは無駄ではなかった。多くの人には見過ごされてしまうものであっても、道をつくるというのはこういうことなのだと実感できた」

私はこの言葉に深く共感しました。お互いに不満な点や不足は多々あったとしても関係を断ち切らず、必要なときに声をかけあえる関係であること、その積み重ねの過程を忘れないでいることが大切です。この経験を実務者の間だけのものとするのではなく、日韓の市民社会にも伝え、活用されるものにしていくことが今後の課題だと考えています。

枝川朝鮮学校でのアートイベントとその後
――コミュニティの越境を目指して

アーティスト・アクション事務局
明石 薫

1. アーティスト・アクションのはじまり

アーティスト・アクションは、二〇一〇年一二月に東京朝鮮第二初級学校（通称・枝川朝鮮学校）で実施したアートイベント「YAKINIKU―アーティスト・アクション in 枝川」を企画する際に発足した団体です。発起人は、韓国の映画作家である安海龍さん。枝川朝鮮学校の元校長であり、新校舎建設委員会事務局長でもあった宋賢進さんを安海龍さんが取材した際に、老朽化した校舎の建て替えにあたりお別れ会として焼肉パーティが企画されていることを知り、アートイベントの実施をもちかけたことがきっかけです。

企画にあたり参考にしたのは、二〇〇九年に安海龍さんが参加した「Diverse Universe Performance Festival」でした。五〇名ほどのアーティストが一カ月にわたり、北欧の美術館やギャラリー、広場で作品展示とパフォーマンスを行いながら移動するというものです。枝川朝鮮学校でのアートイベントは、このイメージをもとに、コミュニティの〝越境〟と〝芸術表現〟をテーマとして出発することになりました。

企画を具体化するために、東京朝鮮中高級学校の美術教師で、日本のアートコミュニティにもつながりをもつ崔誠圭さんらに協力を呼びかけました。そして集まった協力者たちが「アーティストだけでなく、枝川朝鮮学校を設立し、守ってきた人々、いまも生活する人々がともに参加する芸術行動である」というテーマのもとで賛同者を募ったところ、在日コリアンだけでなく日本、韓国、中国のアーティストを含む約七〇名から反応がありました。

朝鮮半島が現在も南北に分断されている状況下で、韓国の映像作家が朝鮮学校での企画を発案し、在日コリアン、日本、韓国など、多国籍のアーティストが参加するアートイベントの実施が可能となった背景には、宋賢進さんのご理解とご尽力、そして日本人が中心となって運営している「枝川朝鮮学校支援都民基金」が日頃から枝川朝鮮学校と緊密に連携し支援を続けていたことがあります（後述）。

2. 賛同者一覧

賛同者は以下の通りです（肩書きは二〇一〇年当時のもの）。

裵昭（写真家）・夫学柱（建築家）・徳本直子（建築家）・豊田直巳（写真家）・富永剛総（写真家）・田中大介（作家）・白滝章裕（建築家）・羽月雅人（異文化コミュニケーター）・津田宗明（作曲家）・亀井庸州（ヴァイオリン奏者）・張大赫（ヴァイオリン奏者）・重松征爾（ヴィオラ奏者）・任キョンア（チェロ奏者）・川上統（作曲家）・HYANGHA（歌手）・イ＝ジサン（歌手）・高嶺羽（チャンセナプ奏者）・木幡和枝（アートプロデューサー）・潘逸舟（アーティスト）・アライ＝ヒロユキ（批評家）・万城目純（パフォーマー）・金哲基（デザイナー）・松永康（アートプロデューサー）・仲野誠（鳥取大学地域学部教員）・盧琴順（写真家）・森下泰輔（現代美術家）・菅間圭子（アーティスト、パフォーマー）・三友周太（アーティスト）・石川雷太（アーティスト）・地場賢太郎（アーティスト）・福島有伸（写真家）・土佐陽子（写真愛好家）・

近藤剛（ディレクター）・今井紀彰（写真家）・高元秀（アーティスト）・趙博（歌手）・金ミネ（ソーシャルデザイナー）・白承昊（アーティスト）・タムラタクミ（アーティスト）・金順玉（アーティスト）・林聖姫（アーティスト）・井上玲（アーティスト）・黒田オサム（パフォーマー）・尾形充洸（映画プロデューサー）・平岡ふみを（アートウォッチャー）・村井啓乗（アーティスト）・野中章弘（ジャーナリスト）・福島佳奈（アーティスト）・土志田ミツオ（アーティスト）・李相元（朝青中央江東支部）・李相慶（中央江東青商会）・黒田将行（アーティスト）・塩崎登史子（映画監督）・高山登（美術作家）・師岡康子（元枝川裁判弁護団）・竹本真紀（アーティスト）・明石薫（美術館職員）・河津聖恵（詩人）・許玉汝（詩人）・関根正幸（アーティスト）・緒方佳太（彫刻家）・貝塚歩（画家）・作村裕介（画家）・尹明淑（研究者）・笠尾敦史（コミュニケーションアーティスト）・辻耕（アーティスト）・李英心（アーティスト）・瀬山岬（教員）・韓興鉄（編集者）・安海龍（映像作家）・朴英二（映画監督）・崔誠圭（アーティスト）

3．枝川と東京朝鮮第二初級学校

東京朝鮮第二初級学校は、東京都江東区枝川に位置します。枝川に朝鮮人が集住したきっかけは、一九四〇年に予定されていた東京オリンピックの開催に向けて、会場や関連施設の建設区域に現在の塩浜が指定されたため、そこに住んでいた朝鮮人を移住させたことにあります。

東京オリンピック自体は戦争の泥沼化により中止となりましたが、枝川への移住計画はそのまま進められました。枝川に建設された簡易住宅は粗末なつくりで、近くにごみ焼き場もあり、悪臭と大量のハエの被害が深刻だったそうです。

枝川に朝鮮人集落が形成されると、一九四二年、現在の東京朝鮮第二初級学校がある土地に、隣保館（コミュニティーセンターのようなもの）が東京府協和会により設置されます。東京朝鮮第二初級学校は、日本の敗戦後、枝川の朝鮮人たちが母国語を取り戻すために隣保館内に設置した「国語講習所」を前身としています。アーティスト・アクションのイベントの舞台となった校舎は、同胞たちが資材や労力を自ら調達して建設した手作りの校舎として一九六四年に完成しました。

学校の歴史は常に苦難の連続ではあるのですが、近年の特に大きな出来事は、二〇〇四年に始まった通称・枝川裁判でした。土地を不法占有しているということで、東京都から校地の明け渡しと四億円の損害金を求められた裁判です。

もともと、この土地をめぐっては、東京都と学校との間で一九七〇年から一九九〇年まで無償で貸借するという合意がありました。一九九〇年に無償契約が終わると買い取りの交渉が始まり、協議の間の賃料は請求しないとのことで平穏に交渉が進んでいたのですが、二〇〇三年に住民が監査請求をしたことにより東京都側の態度が一変し、提訴に至ったそうです。この裁判は、二〇〇七年に朝鮮学校側が市価の一〇パーセント弱である一億七〇〇〇万円の和解金を支払うことにより土地の所有権を取得するという形で和解が成立しています。

二〇〇四年に裁判が始まった際、江東区の市民グループを中心に裁判の支援連絡会が結成され、その後、学校自体を支援する「枝川朝鮮学校支援都民基金」も設立されました。この基金は現在も活動を続けており、新校舎の建設にあたっては、日本人からの寄付金だけでなく、韓国からの寄付金も取りまとめる役割を担ったり、地域の日本人を対象にした「ミレ・朝鮮語講座」を枝川朝鮮学校内で開講したりするなど、朝鮮学校と地域の日本人、朝鮮学校と日韓の市民団体をつなぐパイプ役となっています。

先述のように日本や韓国のアーティストが参加するアーティスト・アクションが枝川朝鮮学校にスムーズに受け入れられたのは、普段から学校に日本側のコミュニティが出入りしていたことによるところが大きく、日常的な交流の意味を感じます。

4. YAKINIKU―アーティスト・アクション in 枝川

このような強制的な移住と土地をめぐる裁判という背景を持つ学校で、先人たちが守ってきた校舎とのお別れをより一層意味のあるものにしたいと考える人が集まり、アートイベント「YAKINIKU―アーティスト・アクション in 枝川」が始まったのです。「YAKINIKU」というタイトルは、学校ではイベントがあると必ず七輪で焼肉を食べる文化があったことと、実際にこのイベントの最終日にはお別れ会として焼肉パーティをする予定だったことからつけられました。

会期は二〇一〇年一二月二六日から二九日の四日間で、出展作家は二二名、パフォーマンスやコンサートなどが一一件、また、枝川朝鮮学校の児童だけでなく、ほかの朝鮮学校の児童の作品も展示しました。

会期前には、参加を決めたアーティストを対象とした見学会に加え、宋賢進さんによる学校の歴史に関する説明会とバラックが残る枝川の「まち案内」も実施しました。その結果、学校やまちの歴史を踏まえた作品が多く制作されました。

最終日に行われた焼肉パーティでは、学校関係者や枝川の同胞、参加したアーティストなど、国籍や民族に関係なく、二〇〇名を超える人たちが一〇〇以上の七輪を囲みました。

「焼肉学校」として紹介されることもある枝川朝鮮学校では、通常、七輪での焼肉は屋外で行います。過去に一度、講堂内で焼肉をして匂いが残ってしまって以来、講堂での焼肉は許可されてきませんでしたが、このときばかりは校舎の取り壊し前の最後の焼肉ということで講堂で行いました。室内に煙が充満し、一メートル先も見えなくなるほどでしたが、参加した方はみな一様に「煙が充満するなかでの焼肉はとても思い出

画面中央：「夢を作る木」（作：安海龍、金志娟）、画面右：「祝 卒業」（作：崔誠圭）

学校で生活する自分の姿を段ボールになぞり描いて切り抜き制作した「人型の作品」（作：枝川朝鮮学校の児童）。制作には賛同者も協力した

学校の引っ越しをアーティストや賛同者、来場者が手伝う企画「枝川アート引越センター」(作：辻耕)

枝川にある十畳長屋を写真撮影し、コラージュして再構成した絵を来場者に水彩で塗ってもらい完成させる「十畳長屋　街並み絵巻プロジェクト於枝川」(作：笠尾敦司)

焼肉パーティの様子

2011年１月に解体された旧校舎

2011年４月に竣工した新校舎

深いものになった」と語っています。

イベント終了後の、二〇一一年一月に旧校舎の解体が始まり、同年四月には新校舎が竣工式を迎えました。新しい校舎は、講堂と体育館を兼ねたスペースを中心に、開放的なつくりとなっています。人工芝のグラウンドも備え、地域のサッカーチームなどの練習にも使われています。

5．アーティスト・アクションのその後の活動

「YAKINIKU—アーティスト・アクション in 枝川」を企画する団体として発足したアーティスト・アクションは、その後も「歴史的、社会的な問題について、芸術表現をもって考え、行動していく」ことをテーマに活動を続けています。そのうちいくつかの活動について紹介します。

・palam × kids『私の心の中の朝鮮学校』日本語版出版記念イベント&コンサート（二〇一二年七月）
東日本大震災で被災した朝鮮学校の復興支援を行う韓国の「モンダンヨンピル」共同代表の俳優クォンヘヒョさんが朝鮮学校に対する思いを書いた文章と、朝鮮学校の生徒たちによる絵画で構成された『私の心の中の朝鮮学校』という絵本があります。その制作にアーティスト・アクションのメンバーである任キョンアさん（チェロ奏者）が関わりました。日本語版の刊行時には、出版を記念し、アーティスト・アクションがイベントとコンサートを主催しました。

・『Document YAKINIKU— アーティスト・アクション in 枝川』出版記念イベント（二〇一三年三月）

二〇一〇年に開催した「YAKINIKU—アーティスト・アクション in 枝川」の記録集『Document YAKINIKU—アーティスト・アクション in 枝川』を刊行し、出版記念イベントを開催しました。関連イベントとして、東京朝鮮中高級学校美術部による参加型パフォーマンス「近未来ウリハッキョ202X」も行われました。

・映画『ダイビング・ベル／セウォル号の真実』配給（二〇一六年〜）

アーティスト・アクションのメンバーである安海龍さんが共同監督を務めた映画『ダイビング・ベル』の日本国内における上映と配給を行っています。この映画は二〇一四年四月に起きたセウォル号沈没事故を追ったドキュメンタリーで、二〇一四年の釜山国際映画祭で上映中止騒動が起きたことでも知られています。

・YAKINIKU— アーティスト・アクション in 東京朝鮮中高級学校「平和—X—」の共同開催（二〇一七年六月）

東京・十条にある東京朝鮮中高級学校の文化祭にて、美術部とのコラボレーション企画を開催しました。朝鮮学校の高校無償化裁判を行っていた時期ということもあり、美術部の学生たちが考えた「平和—X—」というテーマのもと、アーティスト・アクションのメンバーも美術作品の展示やドキュメンタリー上映を行いました。会場の一画に模擬裁判所が設けられ、生徒たちと参加者が平和とは何かということを裁判形式で一緒に考えるイベントも行われました。

・アーティスト・アクション in 東京朝鮮中高級学校美術部展「はじめての日常」への参加（二〇二一年一月）

東京朝鮮中高級学校の美術部が主催する美術部展に、アーティスト・アクションが参加し、メンバーが作品の展示を行いました。新型コロナウイルスの感染拡大を受け、生徒たちが決めたテーマは「はじめての日常」でした。

アーティスト・アクションは、会則や定例会などを設けず、何かを表現する必要が生じた際に、自発的な意思によってのみ企画を進めています。一般的な団体の運営方法とは異なることから、団体としての継続性や信頼性に疑問を持たれる方もいるかと思いますが、この運営方法には大きな意味があると考えています。社会的な課題を扱う団体は、時として目的と手段が逆転し、理念と実態が乖離してしまうことがあります。アーティスト・アクションでは、そのような逆転現象をなるべく回避するため、会の存続自体を目的とせず、理念を実現させることに集中できる方法を選択しています。

また、活動の中心となるメンバーはいるものの、代表や事務局長といった役職をつくらず、フラットな関係で、みなが対等に語り、表現できる場であることを大切にしてきました。このような特性を、アーティスト・アクションの賛同者で、社会学者の仲野誠さん（鳥取大学教員〔当時〕）はこのように述べています。

アーティスト・アクションの〝ゲリラ的〟、〝アメーバ的〟な動きは、非合理的で近代の価値の中ではあまり高く評価されてこなかったものである。言い換えれば、それは「弱い」動きであるといえよう。（中略）近代の支配的価値が揺らいでいるいま、その〈弱さ〉は〈強さ〉に転換される可能性がある。（中略）そもそもあらゆる新しい発想やボランタリーな生き方などは、従来の社会的価値の中では「弱い」とされるものである。しかし、それはそれまで「強い」ことが良いこととされてきた従来の価値観で考えれば相対的に「弱い」という（だけの）ことであり、その〈弱さ〉こそが新しい価値を生み、人がジャンプできる強さに転換されうる。

（明石薫他編『Document YAKINIKU—アーティスト・アクション in 枝川』Artist Action、二〇一三年）

在日コリアンコミュニティを出発点に発足した私たちアーティスト・アクションは、マイノリティという〈弱さ〉、そして社会的には理解しづらく、必要とされづらいアートという〈弱さ〉――この二重の〈弱さ〉を抱えながら、コミュニティを越境するための芸術表現の可能性を追求していくつもりです。

第三部　座談会

玄　武岩
（北海道大学大学院メディア・コミュニケーション研究院教授）

金　敬黙
（早稲田大学文学学術院教授）

李　美淑
（立教大学グローバル・リベラルアーツ・プログラム運営センター助教）

小田川　興
（早稲田大学アジア研究所招聘研究員）

寺西澄子
（ＫＯＲＥＡこどもキャンペーン前事務局）

明石　薫
（アーティスト・アクション事務局）

1．保守の運動は「連帯」に含まれるか

金敬黙　座談会を始めるにあたって、先に確認したいことがあります。それは、「連帯」や「市民社会」という言葉はいわゆるリベラル派や左派の専有物なのかということです。七〇年代、八〇年代の反独裁民主化運動への支援という文脈において、「日韓連帯」はどちらかというと良心的な知識人——リベラル派の運動でしたよね。そこに教会や組織が関わったかどうかは別として。しかし、九〇年代以降に盛んになった、朝鮮民主主義人民共和国（北朝鮮）の拉致問題・収容所問題に対する保守派の運動のことを、かつての「日韓連帯」の人々は冷ややかな目線で見ているという気がします。「日本と韓国」を「北朝鮮と日本」に置き換えれば、そこには同じ構図とも言える部分があるにもかかわらず、いわゆるリベラルと保守、あるいは、左派と右派という枠組みでしか捉えることができていないように思えるのです。李さんはこの点についてどうお考えでしょうか。

李美淑　かなり難しい質問ですね。北朝鮮の人権問題に対する保守派の運動にはさまざまなものがありますが、その一つに、独裁政権時代の韓国の民主化運動勢力の声に日本のリベラルが応えたように、北朝鮮の政権を日本の保守が批判するという形があります。ここで両者が異なっている点は、前者は情報交換のネットワークの中にはっきりとしたつながりがあり、かつ、その運動を求めている韓国の人たちの姿が日本のリベラルにとって見える形で存在していたということです。一方、北朝鮮と日本の保守の間にある情報交換のネットワークの中に、信頼できるつながりはどのくらいあるのか、また、運動を求める北朝鮮の人々の姿がどれくらい見えているのかということを考えると、疑問が生じます。

北朝鮮の人々の姿が直接見えないにしても、たとえば、在日朝鮮人とのネットワークを持ち、その中で議

論になっているのであれば根拠になりえますが、そういうわけでもないようです。そうなると、そこでの保守派の連帯が、本当に北朝鮮に住んでいる人々のための運動なのかどうか、あるいは、北朝鮮の民衆との「連帯」と言えるかどうか、疑いの余地があるのではないでしょうか。

それに、北朝鮮の人権問題に関して、リベラル派の中には医薬品や食料を送るなどといった活動があり、生命や人権に関わる取り組みをやっているわけです。でも、こうした取り組みに対して保守派はあまり関心を持っていないように見えます。

玄武岩　「連帯」という言葉は保守の運動の内部でも使われているんですかね。あるいは「連帯」とは言わなくても、それに代わる自分たちの言葉を用いて、ネットワークを形成したりいろいろな形で交流したりしている部分があるのではないかと想像しますが……。

寺西さんも保守派の運動と何らかの形で接触があるのではないでしょうか。

寺西澄子　金さんからのご指摘にも通じるかもしれませんが、接点がほぼないのが実状です。そこには役割分担というか、住み分けがあると感じます。

収容所の問題なども深刻な様子が伝わってきますが、現在の取り組みと併行させることは非常に困難だと感じています。私たちは自分たちの役割を、現地に行き、そこに暮らす人たちと接するところに置いてきました。ショーウインドーと言われる平壌であっても、北朝鮮の人々に少しでも多く出会い、関係をつくって、ともに解決の方法を考えたいという、そういう考え方です。この「役割分担」の考えに対して、ただ逃げ道をつくっているだけだと思う人もいるでしょうが……。

九〇年代に、人道支援を呼びかけるような集会に来ていた人たちの中には、「人権の問題についても考えてください」と訴えに来る方がいましたが、真剣に北朝鮮の人たちのことを考えている方が多かった気がします。「平壌に入ってみて実際にどうでしたか」とか、「北の人たちは元気でしたか」などと北朝鮮の人たちを気遣っていたんです。今の北朝鮮の体制は受け入れられないけれども、それを打倒するということだけでなく、そこに暮らす人たちのために何かしたい、そのために少しでも情報が欲しい、という感じで関わっていたのではないかと思うんです。

しかし、脱北する人も増えて情報が得られるようになり、拉致の問題が明らかになって、とにかく体制を叩くことが大目的になったとき、それまでとは違った形で北に関心を持つ人が増えた気がします。その人たちも韓国の団体と連携があると思いますが、どんな議論がなされているのかは知りません。

2. 日韓の市民社会とその関係性の変化

玄　小田川さんは、長年の活動の中で、韓国の市民社会と日本の市民社会を比べる場面があったかと思いますが、両者の政治に対する距離感や、アプローチの仕方の違いについてはどう思われますか。

小田川興　なかなか難しいご質問ですね。私が新聞記者としての活動の中で感じたことを振り返ってみると、互いの市民社会のあり方や状況に対する受け止め方に変遷があると思うんですよね。そこが私の考え方の基本となるので整理してみました。

一九四五年以降、日本の市民が韓国に対して優越感を持っていた時期は非常に長かったと言えるでしょう。たとえば、一九七〇年六月に金芝河(キムジハ)が逮捕されるという事件がありましたが、人間の魂を歌う詩人が独裁政治の犠牲になりかけているということで、日本では全国的に救援活動が起きましたね。また、一九七三年八月には金大中(キムデジュン)が東京から拉致されました。このときも日本の社会全体が非常に興奮して、韓国に対する激しいバッシングが起きましたよね。近年でも拉致問題において北朝鮮バッシングがありますが、あのときの韓国バッシングの方がはるかに強かったとさえ言われているほどです。

こうした救援活動やバッシングが盛り上がった背景には、濃淡の差はあれ、多くの日本の市民に「日本は韓国よりも市民社会が優れているんだ」という意識があったように思います。そういう意味では、当時は日本の市民社会の方が韓国の市民社会より立場が強かったと言えます。

ところが、一九八〇年五月に起きた光州(クァンジュ)の民衆抗争から、こうした立場に変化が生じ始めます。このとき、光州の市民や学生たちの戦いは高く評価されました。とはいえ、当時の韓国は全斗煥(チョンドゥファン)が政権を握ったばかりで、まだまだ独裁政治の真っ只中です。そのため、この時点では韓国の市民社会に対する日本側の評価は非常に限られたものでした。しかし、次第に韓国で民主化が進むにつれて、日本でも「あのときはすごかったな」「あれが韓国民主化の第一歩だったのかな」と考える人が増え、再評価につながっていきました。

その後、日本と韓国の市民社会が対話可能な関係になったと、私がはっきりと感じることができたのは、一九八七年のことです。ご存知の通り、この年、韓国全土に大規模な市民デモが広がって憲法が改正され、大統領直接選挙制になりました。これは今の日本社会から見ても大変うらやましい制度ですよね。日本の市民社会は、次第に韓国の市民社会をうらやむようになっていきました。その後、ソウルオリンピックがあり、韓国の国際化がどんどん進んでいきました。

一九九七年、大統領選で当選した金大中は、弾圧をむしろ糧として優れた政治哲学を持っていました。もちろん評価はさまざまですが、独裁政権との闘いの中で政治制度から社会福祉、人々の暮らしに至るまで、民主化の種を播(ま)いていったことは事実です。そして、それがある程度収穫されたのが、金大中大統領当選――この時期だったと思っています。

金大中の当選が決まったとき、私は一山(イルサン)の金大中邸に駆け付けたんですが、そのとき、韓国で花火が上がるのを初めて見ました。それまで韓国では、火薬はすべて武器に使わないといけないので、花火なんてとんでもないことだったんです。政治の大波が来たと思いました。

この金大中大統領誕生の背景には、それまで長く民主化運動をしてこられた咸錫憲(ハムソクホン)さんや、白楽晴(ペンナクチョン)さん、当時日本に事実上亡命していた池明観(チミョングァン)さんなど、いろいろな方の動きがありました。そして金大中の当選をきっかけに生まれた民主組織もたくさんあります。そのうちの一つが韓国を代表するシンクタンク「希望製作所」です。呉在植(オジェシク)さんや、残念ながら自死された朴元淳(パクウォンスン)さんなどがそうした活動の中心にいました。正直、私はものすごくうらやましかったですね。市民として当然主張すべきこと――それを希望製作所は一つ一つやっていこうとしていました。こうして日本は、韓国市民社会から後れを取るようになっていったんです。

金大中政権に続く次の節目は盧武鉉(ノムヒョン)当選ではないでしょうか。デジタルデモクラシーが大統領選挙を動かしました。学生たちが携帯電話を使って、「今日はみんな選挙に行こう」と呼びかけたことは、当時としては非常に画期的でした。

おそらく、日本の市民社会が韓国の市民社会に対して優越感を抱いてきたのは、日本の市民は「それぞれ個人の考えで動いていること」に誇りを持っていたからでしょう。一方、当時の韓国の市民は「個人といってもそれぞれが国を背負っていること」に重きを置いていました。その後の市民運動を見ても、各自が「国政を変える」という強い意識を持ってきたと思います。

それから、一九七三年から一九八八年までの一五年間、池明観さんが「T・K生」という名前で雑誌『世界』

に「韓国からの通信」を連載しましたよね。これは本当にすごいことでした。独裁政治の中にあっても韓国の市民たちが抵抗していることを、日本の市民はこの連載によって知ったわけです。もちろん日本の新聞も「韓国の新聞が書けない分、こちらが頑張らなければ」と、日韓の政権との距離などによって濃淡はありましたが、取材力を尽くしていました。でも、この「韓国からの通信」の影響は大変大きいものでした。

私がソウルに留学していたとき――一九七三年から一年間でしたが――そのときある韓国人に言われたんです。「韓国人はみんな、俺だって大統領になれると思っているんだよ」。私はこれは真実だと思っています。自分たちが政治を担えるんだと、一人一人が感じている――そうした感覚が今や大きな力となって市民社会を支えているのではないでしょうか。

3.「一九九五年」というターニングポイント

金　今、小田川さんが「一九八七年」をターニングポイントとして挙げられましたが、私は「一九九五年」をどのように位置付けるかということに注目しています。

一九九五年というのは、戦後五〇年という節目の年で、とにもかくにも大々的に、日本と韓国でいろいろな企画がありました。当時起きたこととしては、第一に、その時期を境に韓国の市民運動がＮＧＯ化していきました。第二に、その時期をターニングポイントとして――これは偶然ですけれども――北朝鮮の食糧不足が顕在化していきました。第三に、この時期にアジア女性基金の活動などがあって、それを受け入れるかどうかをめぐって日本の市民運動の分裂が起きています。こうした運動の分裂の中で、漫画家の小林よしのりによる「プロ市民」という言説が出てきましたよね。

これは四～五年前のことですが、富坂（とみさか）キリスト教センターの新年会で池明観さんにお会いする機会がありました。そこに日韓のネットワークをつなげてくださっている韓国の活動家も何人か参加していたんです。その人たちは韓国のいわゆるリベラル勢力の実践的な学者たちなんですが、ここで明らかだったのは、彼らは日本についてほとんど関心がないか、学ぶチャンスのなかった「八六世代（ハチロク）」だったことです。韓国社会の中心になりつつある彼らにとって、かつての「日韓連帯」の呉在植さんなり、池明観さんなりの活動は、すでに過去のもの——と言うと言いすぎですが、とにかく、自分たちの継承すべきものとして関心のターゲットに置かれていないということが確認できました。それは現実的な課題でもあり、残念なところでもあって、私は複雑な心境でした。

つまり、韓国もそうですが、日本の中での運動の派生や分裂、そして世代交代という部分を、そのターニングポイントである一九九五年を軸にどう位置付けるのかということが、私にとって重要なテーゼになっています。

玄　韓国にとっての一九八七年は、国内の政治的民主化だけでなく、日韓関係においても重要な転換点であったでしょうね。日本の市民が韓国の民主化を支援した一九七〇年代〜八〇年代は、反独裁民主化闘争は存在しても、市民社会がまだ形成されていない時代でした。そして韓国が民主化することで、それまでの「日韓連帯」が過去のものとなる一方、韓国の市民社会の台頭により、新たに双方向的な「日韓連帯」が始まりました。舞台は「反独裁民主化」から「歴史問題」へと移り、植民地支配下の韓国の戦争被害者が日本で戦後補償裁判を繰り広げ、それを日本の市民社会が支えたのです。今日、火種となっている「徴用工」問題や「慰安婦」問題をめぐる戦後補償運動が冷戦崩壊後の一九九〇年に始まったと考えれば、韓国の市民社会が台頭した一九八七年の意味もよりはっきりした形で現われるでしょう。

金敬黙さんは、さらに一九九五年をもう一つのターニングポイントとして位置付けているわけですね。「戦後五〇年」にあたる一九九五年は、村山談話やアジア女性基金の設立といった出来事に代表されるように、「戦後日本の戦争責任論」が加害者性に向き合うことで一つの到達点を迎えました。しかし、哲学者の高橋哲哉も指摘するように、ちょうど「戦後五〇年」の年あたりから日本の戦争責任・戦後責任を否認する露骨なナショナリズムのキャンペーンが開始されるわけです。もちろん、そのきっかけとなったのは戦後補償運動ですから、その意味では、一九八七年と一九九五年は転換点というよりも地続きの「転換期」として見るべきかもしれません。

ただし、日韓関係における岐路は、「戦後五〇年」に始まるネオナショナリズムが浮上した時点ではなく、そうしたバックラッシュに飲み込まれるようにして日韓がすれ違っていった時点にあるでしょう。金さんが言うように「八六世代」が韓国政治の主流になるのが金大中政権時代（一九九八〜二〇〇三年）からだとすれば、一九九五年という日韓のすれ違いのターニングポイントにおいて、韓国の市民社会がどのように変動したのかが見えてきます。ある意味それは、来るべくして来た世代交代だったと言えるのかもしれません。

4．韓国の〝被害者的優越意識〟と〝上から目線〟

玄　韓国と日本の互いの市民社会に対する意識には変遷がありますが、現在、そうした意識の中に、韓国の市民社会が日本の市民社会に対して被害者意識や優越意識を持っていると感じます。それが日本が持っている韓国に対する見方や感情を悪化させる一つの要因になってはいないでしょうか。私はそうした感情が後押しする形で、韓国政府の日本政府に対する高いレベルでの謝罪の要求や、韓国の司法による植民地支配そのものが無効であるという判断があると思うんですね。しかし、おそらく日本政府は韓国政府のこのような主張を受け入れることが難しいのではないでしょうか。

私個人の気持ちとしては、韓国でそのような市民運動をしている方々を尊敬していますが、実際に日韓関係を考えていくうえでは現実的な妥協点みたいなものを見出していくことも必要ではないかと思っています。

また韓国の市民社会が日本の市民社会に対して〝上から目線〟で物を言うこともあって、こうした両者の不釣り合いな意識が問題を引き起こす場面もあるのではないかとも思います。つまり「被害者的優越意識」ですね。

明石さんや寺西さんは、実際に、韓国の人との交流や付き合いの中で違和感を持つ場面はありませんでしたか。

明石薫　私が普段お付き合いしている方々の範囲では、あまりそういう場面はないですね。ジャーナリストや研究者が多くて、みなさんどちらかというと冷静に物事を分析される方たちであるのと、私たちの活動は日本を拠点にしており、日本と友好な関係を築こうという方たちが多いので、被害者意識や優越意識を感じることもあまりありません。
歴史問題の延長上にある日本政府による在日コリアンの方への対応という点に関しても、やはり直接何かを言われることはなかったです。ただ、現状に対してリベラル派や市民運動の側が起こすアクションが本当に効果的なのか、もっと違う手法があるのではないかと、選挙権を持っている者として、何も変えられていないことに申し訳なく思う気持ちはあります。

寺西　相手側との関係ができていて、明石さんがすでにそうした意識を持って活動をされてきているという認識も向こうにあるので、あえて歴史問題への認識について触れられることがないのでしょうね。私の場合は、直接的に言われることは少なくても、なぜ日本人が北朝鮮のことに関わるのか訝しく思われます。

でも、〝上から目線〟で朝鮮半島の統一のために何かやってあげようというのではなく、実際に出会った北朝鮮の人たち、在日朝鮮人の人たち、韓国の人たちとともに何かしたい、そして歴史問題も含め日本の中の意識を変えたいという思いで活動しているということが相手に伝われば、少しは理解してもらえるかなと思うんですよね。

ただ、「日本側の団体の活動にもうちょっと影響力があればいいのに」という韓国側の思いはすごく感じますね。向こうから「新しいことをもっと一緒にやっていきましょうよ」とか、「こういうことはできないんですか」といった提案をたくさんもらいながらも、こちらが十分に動けていない――そういうところにもどかしさを感じている韓国の方は多いように思います。

玄　小田川さんは、日本に対して強硬に謝罪を要求する韓国側の姿勢をどのように受け止めていますか。こうした姿勢は日韓関係を改善していくうえで最善と言えるでしょうか。

小田川　難しい問題ですよね。ただ、韓国側の謝罪の要求については、私は当然のことだと思っています。

ここで考える手掛かりになるのは独仏関係ではないでしょうか。ドイツとフランスは第二次大戦の過酷な状況を経ていますが、冷戦下でEUの基盤となるEC（欧州共同体）をつくったわけですよね。これがなぜ可能だったかといえば、ドイツ側の積極的な謝罪や責任者の処罰、再発防止のための歴史教育などがあったからです。ドイツのこうした動きを経て、両者は和解に向かいました。理想的ですよね。

一方、「東アジア共同体」という構想は、提唱されて久しいものの、なかなか実現しないどころか、現実からどんどん遠ざかっています。ドイツは変われたのに、日本はなぜ変われないのか——。これが一番の問題だと思うんですよね。

変われないことの背景には、象徴とはいえ天皇制を維持してきたことや戦争を起こした人物に対する不十分な責任追及、それから歴史教育のきちんとした取り組みがなされていないことなどがあると思っています。それらが絡み合ったままでここまできてしまい、今はそこにヘイトや右派の増長が加わっているという状態ですよね。つまり、独仏に対して日韓の場合は、日韓国交正常化が植民地支配の清算を置き去りにして、とにかく経済と日米韓の同盟を優先してきた、そのマイナス部分がずっと尾を引いているということです。

近年、安倍(あべ)政権が帝国主義体制に回帰しようと憲法改悪をもくろんできました。それに対して日本の市民運動は、猛烈な運動を地道に続けていますよね。国政選挙に向けて野党共闘を進めてこられたのは、実は市民の側からの非常に強力で粘り強い働きかけが大きかったと思います。

ですから日本の市民社会も、たしかにシステム的に難しいところはありますが、政治をむしろコントロールする能力は、逆に今から強まっていく可能性もあるし、また、強めていかなきゃならないという機運は高まっていると思います。それに対して、韓国側からも大きなエールをもらっていますよ。戦後七五年を迎えた日韓の市民社会の新しい連帯の芽が、今、育ちつつあるのではないでしょうか。

玄　その連帯のためにも、植民地支配については「被害者的優越意識」、民主主義については「上から目線」を持っている韓国側が反省すべき部分もあるのではないかと思います。

小田川　ただ、ハンギョレ新聞の件（本書三五頁）については、玄さんのおっしゃることはわかりますが、同紙の日本報道は韓国の他紙に比べて高い評価をする必要があると思います。日本の市民運動について、ハンギョレ新聞は、私も関わった二〇一八年の「日韓市民共同平和宣言」とそれに関わるシンポジウムや、二〇一九年の日韓市民社会団体による「三・一独立運動百周年日韓市民共同平和宣言」とそれに関わるシンポジウムも積極的に報道してくれました。日韓の優れたジャーナリストや市民活動家に与える李泳禧（リヨンヒ）賞も、ハンギョレの創刊メンバーだった李氏にちなむもので、日韓市民連帯に貢献しています。

玄　ハンギョレ新聞への「批判」について小田川さんが持たれている憂慮は、まっとうなご指摘です。私が問題にしたかったのは、そうしたハンギョレ新聞でさえ、どこかに「被害者的優越意識」を潜めているのではないかということです。他の新聞であれば、そもそも批判も成立しません。たしかに、基本的にハンギョレ新聞特派員が日本の市民社会に敬意を表していることを思えば、やや厳しい口調になってしまいましたね。あえて挑発的に問題提起をしたつもりですが、現在の特派員さんとも議論の場を設けたいところです。

5．市民運動が受ける国家間関係の影響

玄　実際の市民運動の現場は、国家間の関係の変化にどのような影響を受けているのでしょうか。寺西さんや明石さんはそうした影響を意識しながら活動していますか。

寺西　私たちの活動は、国家間の関係にものすごく影響を受けるものなので、常にそれを意識させられます

ね。ただ、その影響で活動の手法を変えることはあっても、両国の実務者たちが自身の考えを変えることは今までにはなかったと思います。連携している団体から「日本政府にはもう付き合いきれないから、私たちの関係も終わりにしましょう」と言われることはなく、むしろ「日本は大変ですね」と心配されます。
問題は、国家間の関係が変化すると、私たちの活動に賛同してもいいかなと思っている人たちの気持ちが変わっていくこともあるということです。できるだけ多くの人たちに耳を傾け続けてもらうにはどうしたらいいのか——韓国では韓国の人たちに向けて、日本では日本の人たちに向けて、それぞれどのように訴えていけばいいのかということにすごく悩んでいます。

明石　私が所属しているアーティスト・アクションの活動は常にアートを通して行うものなので、日韓関係に直接的に振り回された経験はあまりないです。ただ、日韓関係に問題が起きたとき、その問題に対する意見の食い違いが日本人同士の中に生じて振り回されてしまう、ということはよくありますね。そこで過剰に問題を大きくしてしまうというか。
だからかえって、意見が一致している韓国の方と意思疎通を図ることの方が、非常に容易な瞬間もあるんです。日本人同士の場合、言葉がわかるがゆえの難しさ……細かいニュアンスまで全部伝わってしまうからこそ、生じる問題も結構あるのではないかと思います。

玄　なるほど。市民運動の現場では、日韓の国家間関係の変化による影響が、日本側と韓国側での対立というよりも、日本側の内部、韓国側の内部における対立という形で現れやすいということですね。それは、日韓の市民運動の共同作業において互いに配慮することを心がけているからであり、また、連帯そのものよりも各自のアイデンティティがより重要だからでもあるでしょう。しかし、新しい時代の「日韓連帯」において日韓が対等な関係にあろうとするとき、両者が本音で語り合うことも求められるかもしれません。

6.「連帯」という言葉が持つ幅広さ

玄　以前、「日韓連帯フォーラム」で木村典子（きむらのりこ）さん（公益財団法人北海道演劇財団専務理事）に北海道と韓国の演劇交流についてご講演いただいたことがあります。そのとき木村さんは、「国家間の関係のことは別にして、演劇をする者同士として自分たちがこれまで一緒にやってきたことをこれからも続けていきましょうね」という態度をもって、関係を維持していくのだと言っていました。そうやって国家間関係に振り回されずに芸術分野の交流をしていくのも一つの連帯の形として重要なのではないかと思っています。

つまり、芸術分野において、「連帯」というのはかなり幅広いものとして捉えられているのではないでしょうか。あるいは、「連帯」という言葉を使わなくても、緩やかな関係性を維持できている活動もあるのではないかと思うのですが、明石さんはどう思われますか。

明石　そうですね。特にアーティスト・アクションの活動は、在日の方たちとの問題を主に表現していくものなので、日韓関係に影響を受ければ受けるほど、作品のテーマが鋭くなっていくという面もあります。そして、そういうときこそ「連帯」というか、コミュニケーションを取っていかなきゃいけないなと思っています。李美淑さんの章（一四頁）の中で、連帯というのは民主的な社会を求めていく行動だというお話がありました。それってすごく難しいことですよね。でも、私たちの活動は民主的な社会の実現に向けて行われるものだという認識はありますし、日韓関係が変化するときこそ、「連帯」が非常に重要になっていくのだろうとも思います。

玄　寺西さんは以前、「自分たちの活動はがっちりしたものではないので、「連帯」という言葉を使うことに違和感もある」とお話しされていましたよね。それについて、もう一度お考えを聞かせてください。

寺西　「日韓連帯」と言うと、ある程度向き合っている部分があると思うんです。でも私たちの活動の場合は、お互いを見るというよりは同じ方向を向いて進んでいる感じがします。そもそもの出発点が、北に対する人道支援だったので、直接的に向き合わない分、連帯感も薄いように思います。お互いの事情を推し測っているだけに、「一緒にできないことの方が多いんだから、お互いに都合のつく部分で協力し合いましょう」という形での連携になりやすいです。

さっきも言ったように、韓国の側がもどかしく思う部分として、「こんなこともやったらいい」「あんなこともやったらいい」と提案しても日本側がついていけないということがあります。でも、そうした提案にたった一つでも日本側が応えられたり、あるいは日本側がやりたいことに関して、韓国側が物やアイディアを提供してくれたりといったやりとりはあります。そういう意味での連帯感は常にあるんですよ。そして、こうしたやりとりが長く続いたことによって成し得た共同作業というのは、たくさんあると思います。

できないことはできないと言い合えるし、できることはどんどん協力していける――私たちのそういう関係性が「連帯」という言葉に当てはまるのかどうかはわかりませんが、長くやっているだけに「連帯」らしくなってきているところもあるかもしれませんね。

李　私は今の寺西さんの話を聞いて、「ああ、これこそ連帯だな」と思いました。常に緩やかなネットワークを維持しつつ、イシューやテーマごとに共同で取り組むというのは、まさに「連帯」のあり方と言えるのではないでしょうか。

一九七〇年代から八〇年代の「日韓連帯運動」のときも、情報交換の緩やかなネットワークの中で、民青学連事件などが起きれば反応したり、韓国からの何かアクションを受けて日本も一緒に声を上げたりするなど、その時々のイシューで具体的な行動は取られてきました。その背景には緩やかな情報ネットワークの形成と維持があって、何か起きていなくても常につながっていた――それがまさに「日韓連帯運動」のときの「連帯」のあり方だったんです。

でも当時も、すべての人が自分の運動を「連帯」という言葉で表したりイメージしたりしていたかというと、必ずしもそうではありませんでした。「連帯」という言葉の意味についての集中した議論というのも実はそれほどないんです。

社会運動に関する研究では、社会運動の参加者に「自分は社会運動をやっているんだ」というような感覚がなくても、外から見たときに、それが社会運動に見えることもあるよね、という議論があります。逆に、人々が主観的に自分の活動を社会運動だと意味付けているのであれば、それを社会運動だと見ることもできます。したがって、「連帯」という言葉に対しても、自分自身が「連帯」と名付けなくても「連帯」になりえることもあれば、「連帯」を意識しながら連帯的行動をしている場合もあると思われます。取り組んでいる課題に対して責任意識を持ち、課題解決のために社会を変化させていくことやそのために努力することの中に、「連帯」という用語の場がより開かれた形でありうるのではないでしょうか。

玄　当然ですけれども、それぞれが自分たちの活動で「日韓連帯」と謳う必要はないわけですよね。ただし、それを観察しようとするとき、あるいはその「連帯」をほかのネットワークにつなげていこうとしたときに、「連帯」の意味が明確になってきたり、現れたりします。仮に、それぞれの現場が自分たちの活動を「日韓」全体で「連帯」するものだと謳うと、「日韓」という制限や「連帯」という言葉の持つ重みまで背負うことになってしまうかもしれません。

そのため、緩やかな関係で成り立っている現在の運動の様子からすると、「日韓連帯」という言葉がはたして必要なのかどうか、ふさわしいのかどうか、考えていかなければならないと思っています。

7.「日韓関係」を上位に置いて思考する違和感

玄　日韓関係が難しい状況になっている中で、「市民運動がその制約要因になっているのではないか」という国際政治学の見方について李さんはどう思われますか。

李　私は、市民運動が日韓関係の制約要因になっているのではないかという国際政治学の問いの設定の仕方に違和感を抱いています。この問いの背景には、日韓関係や国際関係が上位で、日韓関係にこそ到達すべき目標があり、市民運動がその制約になっているという図式がありますよね。そこに議論の難しさというか、議論が進まない原因があると思われます。つまり、日韓関係を上位に置いて、日本軍「慰安婦」問題や強制動員の問題などといった人権問題を「調整」の対象とみなすという行為は、むしろ、共通課題の解決のために連帯する市民運動を抑圧する非民主的な体質の表れではないでしょうか。

国際関係を上位に置くアプローチは、結局、国際関係にとっても、よい結果につながらないと思います。むしろ、市民同士の取り組みがあり、国際関係はその結果として付いてくるものと捉えるべきではないでしょうか。

玄　たしかに、そうですね。私も、市民社会におけるさまざまな領域をもっと太くしていくことが、結果として国家間関係の向上につながると考えています。

それに、はたして国際政治優位の視点で——今はコロナ禍によって途絶えていますが——観光などを通した人的交流や大衆文化の流通が支える現在の多層的な日韓関係を説明できるのか、という問題もあります。

日韓の政治関係が重要であることは論を俟ちませんが、今求められているのは、日本から見て「韓国は国際法を無視している」とか、韓国から見て「日本は侵略の歴史を反省していない」といったように、乖離が進んでいる相互認識に対し、安全保障や経済関係におけるハードパワーをもって取り繕おうとするのではなく、「下からの越境的な公共性」からアプローチを試みることではないでしょうか。たとえば、日韓で歴史認識を「共有」することを目指すのではなく、それぞれの戦争被害に「共感」できる対話の枠組みを模索することも、一つのアプローチのあり方と言えるでしょう。

金敬黙さんは「そもそも日韓関係の良好な状態とはどういうものなのか」というとても重要な論点を提起されていますが(一二二頁)、この点はどう思われますか。

金　私はここまでの議論では基本的にみなさんの意見と違わないのですが、問題はもう少し複雑なのではないかと思っています。たとえば、「国家間関係が悪い状況でも市民社会はそれに振り回されないように」とは言っても、実は一般の人々は自らを「市民社会」の一員として位置付けていないのではないでしょうか。そこに大きくて本質的な構造の問題があるように感じます。

特に越境した人々――在日コリアンや韓国に暮らしている日本人留学生、駐在員、あるいは多文化家族を形成している国際結婚の家族の場合、政治状況の悪化は自分たちの生活に露骨に響いてきます。「慰安婦」問題の解決や価値規範としての人権問題、あるいは民主化といったイシューの一つ一つに、譲れないポイントがあるでしょう。こうした「市民社会」ないし市民運動に関わる人々の価値規範は、ある程度尊重されています。

しかし、四六時中、政治に振り回されている人々の中には、もうこりごりだからこうした状況から逃れたい、忘れたいと思う人もいるでしょう。実際、忘れた状態で日常を生きていける日韓関係も可能性としてはありえます。こうした考えも「市民社会」の民意の中にあるのです。つまり、どこを譲れない価値として捉えるかという基準は人それぞれなので、「市民社会」と一言で言ってもその内実は少し複雑だろうということです。

玄 金さん、ありがとうございます。たしかに、「市民社会」を一括りにしたりその役割を理想化したりすることは避けなければなりません。しかし、実際に昨今の日韓関係が大衆文化や民間交流によって持ちこたえていることも無視できません。それであれば、一九七〇年代から八〇年代の「日韓連帯運動」の経験や、一九九〇年代以降の戦後補償運動における両国の市民社会の交流にもっと光を当てることが――「韓流」の影響力には程遠いでしょうけれども――「互いの本質をコミュニケートする」という点で重要であるはずです。血の通った人間同士の関係ですね。また、ヘイトスピーチに対するカウンターアクションがあったからこそ、韓国でも極端な「嫌日」に走るのではなく、信頼に基づいた理性的な判断ができたと言えます。

今日は「日韓連帯」という議論を、実際にその言葉を使って議論する貴重な機会になりました。この集まりの名称として「日韓連帯フォーラム」を掲げてはいますが、絶対に「日韓連帯」という言葉を使わないとだめなのかどうかということについては、私自身もまだ自信がありません。しかしながら、今の日韓関係や日韓の市民社会のさまざまな交流・運動を考えるうえで、「日韓連帯」という視点を再生させ、研ぎ澄ませて使っていく意味は十分にあるのではないかという感触を、今日の議論から得ることができました。

みなさん、どうもありがとうございました。

（二〇二〇年一二月二日、オンラインにて）

おわりに

このあとがきを執筆している二〇二一年三月八日、私は「姜駐日韓国大使に会わない日外務省…異例的冷遇」という見出しの読売新聞の記事をネットで偶然目にしました。同年一月に着任して以来、駐日韓国大使が一カ月以上も外務大臣や総理大臣に会えていないのはたしかに異常ですが、それは現在の日韓関係を思えば、驚く事態でもありません。

記事を読んだ後、少し気になって「六五年体制」以来の両国の歴代大使について調べてみました。駐韓日本大使は現在の相星孝一大使が二一代目であり、他方、駐日韓国大使は姜昌一大使が二五代目でした。本書で私が着目したターニングポイントとしての一九九五年以降、相星大使まで一一人の駐韓日本大使、姜大使まで一四人の駐日韓国大使がいます。在任期間を見ると駐韓日本大使は平均三年弱、駐日韓国大使は平均二年弱の在任でいずれも短命です。「近くて近い」隣国関係を求めるのであれば深刻な状況にも見えます。

けれども少し考えを改めてみることにしました。「そもそも古典的な政府間の外交にどこまで期待できるのだろうか」と。両国は司法、行政、立法の三権分立を掲げていますが、日韓関係においては「国家代表」選手のスタンスを崩さないかのようです。玄武岩さんの問題提起にあった通り、メディア報道もさほど変わりがありません。それならば、いや、だからこそ「日韓連帯」や市民運動が強く求められているのではないでしょうか。そして、本書のタイトル通り、「新たな時代の日韓連帯市民運動」が真に求められているとすれば、何を「新たな時代」として位置付けようとするのかが問われます。また、その際の「日韓連帯」は「いまだに？」なのか、それとも「いまこそ！」なのかも問われるでしょう。

私が思うには、市民運動が重視する「日韓連帯」の価値や規範の一定のリセットが必要です。かつてはデモクラシーなどの価値・規範が「日韓連帯」を架橋する原理・原則であったかもしれません。当時の韓国は日本と比べ、デモクラシーが相対的に不足していたのです。しかし、二一世紀の現在は当時とは状況が異なります。両国において課題はあるにせよ「民主的な基盤」がそろったのです。それゆえに、日本の市民運動が韓国のデモクラシーのために、韓国の市民運動が日本のデモクラシーのために、全力で連帯するほどのモチベーションがどこか欠けてしまっているのかもしれません。

改めて問うてみます。「新たな時代」のために何が求められるのでしょうか。それは今日的な価値として浮上したジェンダーやセクシュアリティ、ダイバーシティ、家族のあり方などに関連した共通課題や、日韓以外の国や地域をも視野に入れたデモクラシーや人権の確保といった課題を解決するための中期目標を設定することなのかもしれません。東アジアの非核化や非人道的兵器の禁止などといった具体的な課題に向けての「日韓連帯」が市民運動を軸に強化される可能性もあります。ミャンマー問題や香港のデモクラシー問題、そして「北朝鮮問題」に対しての「日韓連帯」市民運動もその一つでしょう。

本書がそうした「日韓連帯」市民運動のための一助となれば幸いです。

二〇二一年三月八日　国際女性デーに　金 敬黙

玄 武岩（ヒョン・ムアン）
北海道大学大学院メディア・コミュニケーション研究院教授。メディア文化論、日韓関係論。著書に『コリアン・ネットワーク　メディア・移動の歴史と空間』（北海道大学出版会、2013年）、『「反日」と「嫌韓」の同時代史　ナショナリズムの境界を越えて』（勉誠出版、2016年）、『サハリン残留　日韓ロ 百年にわたる家族の物語』（高文研、2016年、共著）など。

金 敬黙（キム・ギョンムク）
早稲田大学文学学術院教授。早稲田大学韓国学研究所・所員、アジア研究所・所長。平和研究、アジア研究、トランスナショナル市民社会論を研究かつ活動領域としている。韓国外国語大学にて学士号を取得し、東京大学大学院・総合文化研究科にて博士課程を修了（東京大学、博士・学術、2006年）。編著『越境する平和学』（法律文化社、2019年）、その他多数。

李 美淑（イ・ミスク）
立教大学グローバル・リベラルアーツ・プログラム運営センター助教。専門はメディア・コミュニケーション研究。トランスナショナルな公共圏論、市民連帯、ジャーナリズムについて研究してきた。著書に『「日韓連帯運動」の時代　1970〜80年代のトランスナショナルな公共圏とメディア』（東京大学出版会、2018年）、共著に『足をどかしてくれませんか　メディアは女たちの声を届けているか』（亜紀書房、2019年）。

小田川 興（おだがわ・こう）
1942年北海道生まれ。早稲田大学卒。朝日新聞ソウル支局長、編集委員を経て、定年後、韓国・高麗大学東北アジア経済経営研究所顧問、姫路独協大学特別教授、聖学院大学特命教授、早稲田大学客員教授を歴任。現在、早稲田大学アジア研究所招聘研究員。日本記者クラブ会員。著書に『38度線・非武装地帯をあるく』（高文研、2008年）、『被爆韓国人』（訳・解説、朝日新聞社、1975年）、『北朝鮮問題をどう解くか』（編著、聖学院大学出版会、2004年）など。

寺西 澄子（てらにし・すみこ）
2000年、日本国際ボランティアセンター（JVC）入職。2001年に始まった日朝韓の子どもたちの絵画展「南北コリアと日本のともだち展」実行委員会の事務局を担当し、韓国や朝鮮との交流活動に従事している。2017年よりアーユス仏教国際協力ネットワーク教育交流事業担当。

明石 薫（あかし・かおる）
千葉大学にて生涯学習を専攻。在学中よりアートプロジェクト等の企画・運営を行う。大学卒業後、千葉市美術館、武蔵野プレイスにてイベント企画や図書館業務を担当。並行して科学研究費の事務職等を経て2019年独立。日・韓・在日のアーティストにより結成された団体「アーティスト・アクション」では2010年より事務局を務める。

寿郎社ブックレット4
新(あら)たな時代(じだい)の〈日韓連帯(にっかんれんたい)〉市民運動(しみんうんどう)

発　行　2021年3月31日　初版第1刷
編著者　玄 武岩　金 敬黙
発行者　土肥寿郎
発行所　有限会社 寿郎社
〒060-0807 札幌市北区北7条西2丁目 37山京ビル
電話 011-708-8565　FAX 011-708-8566
E-mail doi@jurousha.com　URL https://www.ju-rousha.com/
印刷・製本　株式会社プリントパック

＊落丁・乱丁はお取り替えいたします。
＊紙での読書が難しい方やそのような方の読書をサポートしている個人・団体の方には、
必要に応じて本書のテキストデータをお送りいたしますので、発行所までご連絡ください。

ISBN 978-4-909281-33-3 C0036